で、やせたの？

まんがでもわかる人生ダイエット図鑑

[著]野原広子（オバ記者）
[画]有田リリコ

小学館

はじめに

「ダイエット」という言葉が日本の世の中に登場してから約70年が経ちます。
戦後の高度成長期に当時欧米の食べ物が自由に手に入るようになり、人々は憧れと共に様々な食べ物を口にしました。
そして、一方で海外の映画スターの、極端にくびれたウエストにも興味を持ち、真似ようと試みてきました。
「でも、あれ、なんだか私と違う？」「ダイエットしなくちゃ」

一世を風靡したダイエット法を列挙しても、思い出せないものもありますし、まだまだ新しいものが形を変え、名前を変えて登場してきます。

そのたびにTVやマスコミは特集を組み、昨今のSNSではスターが生まれ、ひと騒ぎした後に自分の姿を改めて鏡で見て、みな疑問に思います。

「で、やせたの？」

そう、「ダイエット」は全人類の永遠のテーマ。なかなか理想の体型を作り上げ、維持するのは大変な作業です。

だったら、笑いながら、振り返ってみるのもいいか……と。

あらゆるダイエット法を試し、週刊誌で人気コラムを連載している野原広子（通称：オバ記者）がダイエットとともに人生まるごと振り返ってしまおう、というのがこの本です。

オバ記者の独断のみで綴られていますが、きっとあなたにも似たような経験があるのではないでしょうか？

この本で笑って楽しんでいただけたらこんなうれしいことはありません。

ダイエット研究会一同

目次

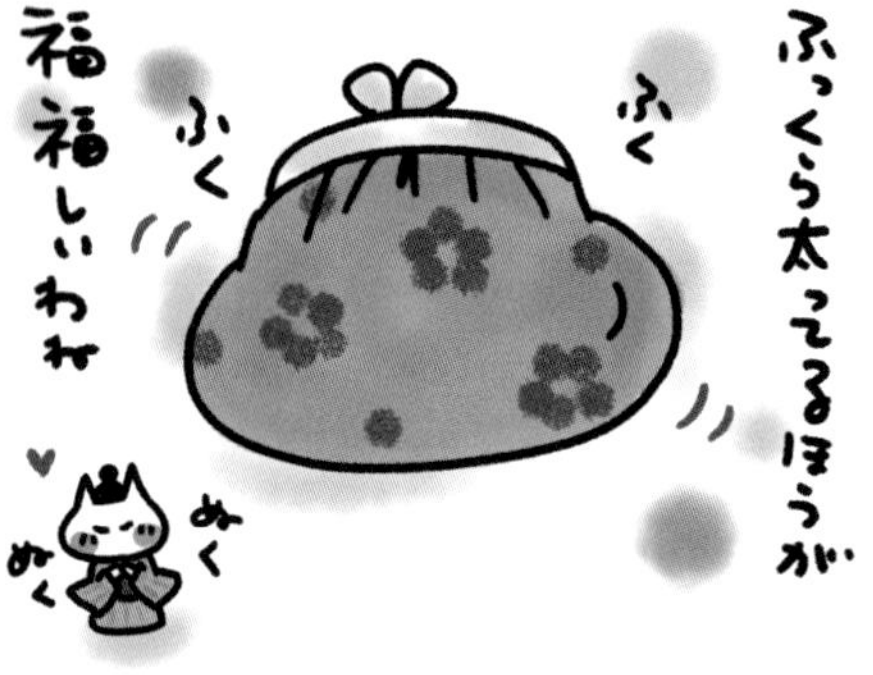
ふっくら太ってるほうが
ふく
ふく
福福しいわね
ぬくぬく

やせたければ
たべなければいいのよ
いつものごはんをはんぶんにするだけ!!
ごはんもおやつもたべるのぜーんぶはんぶん!!
ぜったいやせる
そうは言ってもネ食欲には勝てないのよ
食欲をコントロールできるひとはもともとやせてるのよ
というわけで『ダイエットの70年』を
なつかしのダイエットいろいろ
振り返ってみます☆

たしかにごはんがはんぶんだとおなかすくワ…
もっとたべたい
ぐー…
きゅるる

いつのまにか体重2キロも増えてたんだけど
そんなに食べてないのに
ふだんは地味な献立だし
←お魚とか
※タニタ食堂メニューみたいな
野菜中心でごはんの量も控えめ
気をつけてるのに
さつまいものコロッケ
コロッケは野菜だからネ
おいしいお菓子のお取り寄せ
チーズ
赤ワイン
もぐもぐ
えびせん
すぐ冷蔵庫のぞく
気をつけてる……!?
あら? チャックが上がらない
新しいスカートを買わなくちゃ
その前にダイエットしましょう
明日から ダイエット! やるぞー!!
オー!

第1章

ダイエット70年史

1950年代～1970年代

なんでもいいから
とにかくやせて、
見た目をスリムに

総論

オバ記者が生まれる少し前、戦争が終わってからの日本は高度成長期、欧米の食べ物がやけに素敵に見えてバタークリームたっぷりのケーキ、牛乳やチーズをたっぷり使ったグラタンやコロッケ、大きな肉の塊などを口にすることも可能になりました。

そのおかげで、というわけではないけれど、ぽっちゃりした女の子がちょっと増えました。そんな子たちは、「どうしよう、太っちゃった！」とこっそり悩んだり、「ガマン」してこってりと油っぽいものは遠ざけていました。その頃はそれがいわゆる「ダイエット」でした。

そんな中、1970年の大ベストセラー『絶対やせる　ミコのカロリーBOOK』が出版されます。「カロリー」という言葉はそれまで、栄養士さんたちだけが使う専門用語のようなものだったと思います。

日本中に広まったのはミコのおかげです。

その後、ファミレスでも、ファストフード店でも、お弁当屋さんでも、カロリーの表記はごく普通のことになりました。しかし、しかし、しかしですよ。「からあげ丼(並)は1500カロリーよ」とか、「ごはん茶碗一杯は食パン1枚よりカロリーが少ないのよ」なんて話を熱を込めてする人ほど、ダイエットなんて気にしないで食べてしまうんだろうな? って思います。

その時々で
シアワセなほうを
選べばいいと思うの
おいしい♪

ぶらさがり健康器

お父さんが「運動不足解消」と買ってきたけど、とにかくリビングでジャマ。いつの間にか物干しに!?

「ちょっとお手洗いを貸してください」「どうぞ、どうぞ」

初めて訪問した大物女性評論家の家でトイレを借りた時、納戸からチラリとこれが見えたの。それまでかなり緊張して話をしてたけど、急に親近感が湧いたね。とりあえず人がいいというものは買って、それをいつまでも捨てないって私と一緒じゃん——。

姿勢がよくなる。肩こりが治る。胃腸の調子がよくなる。何よりやせる。一日ほんの数分、ぶらさがりさえすればこれらの効果が期待できるなんて、一石なん鳥よ?

ダイエットを成功するのは、何をさしおいてもやる気が大事。やる気を出すには多少の初期投資をしないとね。いや、買ったらやるしかないから、やせるでしょ。

あ、できたらこの時に家族が、「どうせやらないくせに」とか反対してくれると、フリーダイヤルを回す手に弾みがつく。あやふやな決意をカチッとした形にしてくれるのよ。

結果どうなったか、なんて聞くワケ?

しかし初めてぶらさがった瞬間の、腕の付け根に走ったあの衝撃は想定外だったわよ。「ダメだ。むり！」と1秒で結果が出たものね。それでもこれを、毎日、続けたら5秒が10秒になり、やがては5分でも10分でもぶらさがっていられるに違いない。そうなったらタテ長の私になれるという夢は捨てられない。

ダイエットとは夢を見ることなり、なんちゃってね。

70年代 爆発的な人気だった
最近 復活してるネ
現代版→
プル
プル
ぶらさがり健康器
ぶらさがるだけでやせる!!
二の腕 お腹にきく
血行がよくなり
基礎代謝が上がる
背骨がのびて 猫背がなおる
腰痛にも
いいことばっかり!!
ねこぜ
さらに 冬はコートかけに
梅雨時は 洗濯物干しに
べんりね
体が重くて
プル
ぶらさがれない〜
腕がちぎれる
プル
足ついたまま

背筋がグーンとのびて 気分爽快!!
運動不足解消に

ルームランナー

雨の日も風の日も家から出ないで身体を鍛える！
内向的なマシンの規則正しい音と気むずかしさ

初期のルームランナーは少し大きめの体重計のような形をしていたのよね。「置き場所を取らない」とか「雨の日でも風の強い日でも、家から出ないで運動ができる」というのがキャッチフレーズで、初めて見たのは結婚したばかりの友だち、J子の家で茶の間に置いてあったの。私はライターになったばかりだったから1980年ころだったと思う。

しばらくたわいもない話をした後、10歳以上年上の彼は、「ゆっくりしていってね」と言ったかと思ったらルームランナーに乗って走り始めた。するとJ子は時計を見上げて、「ああ、もうこんな時間になるのか。買い物に行こうよ」と言う。ご主人は日曜日の夕方に40分、ルームランナーで走っているんだって。

「お邪魔しましたぁ」と玄関口からご主人に声をかけると、「また来てね」と答えてくれた。やり取りはそれだけだったけれどJ子夫婦との縁はそれきりになった。

そのころのルームランナーって、ガタガタと床を足で踏み鳴らすような音を出したのよ。後から聞いたら誰であれ夫婦2人の時間をじゃまされるのがイヤだったそうだけど、「帰れ、帰れ、早く帰れ」、私に帰って欲しいと思っているのはその音色から伝わってきた。

そんなことがあったせいか、スポーツジムにあった本格的なランニングマシンとも相性が悪くてね。テレビを見たり、音楽を聴いたりしても所定の15分が辛くてたまらない。てか、あれをしている全員が二足歩行するハムスターに見えて仕方がないんだわ。

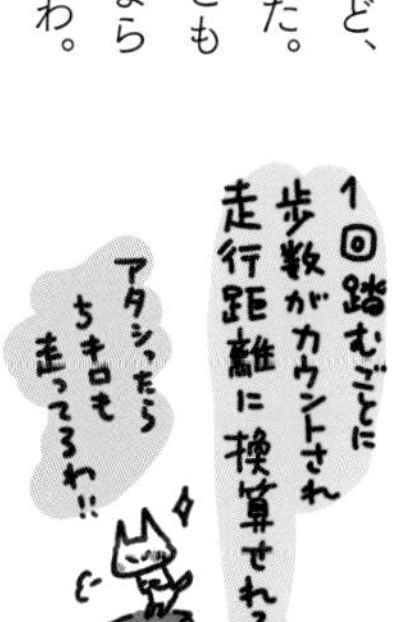
1回踏むごとに歩数がカウントされ走行距離に換算される
アタシったら5キロも走ってるわ!!
体重計みたいネ

ルームランナー☆
これも昭和50年代の大ヒットマシン!!
ナント足踏み式!!
日本の住宅にぴったりのサイズ感!!
雨の日も家で運動ヨ☆
カチャ
カチャ☆
あれから幾年《いくとせ》…
月日は流れ…
うちの実家にまだあるヨ
ルームランナー、スタイリー、ぶらさがり健康器、さて、どこにあるでしょうか?
探してね☆

ミコのカロリーBOOK

ダイエットの初代教祖さまが田舎っ子に見せた美と努力と都会の風。そして歳月の残酷さ。

カロリー、人形の家、変身、美容整形。肩紐とミニスカが一体になったゴーゴースカートのすそをパンツに挟んで、ゴム飛びをしていた小学6年生の田舎っ子に初めて大人の世界を見せてくれたのが弘田三枝子だった。

「私はぁ〜、はなたにぃ〜♪」と鼻に抜ける歌い方と笑わないミコが気になって、テレビの前から動けない。この時よね。大人になったら東京に行ってやせて変身して、二重まぶたにすると決心したのは。でも鼻を高くするのはやめようかな。

それにしてもふっくら娘の「パンチのミコちゃん」が、どこどうしてこんなにきれいになったのか。その種明かしは、家の隣りの床屋に置いてある『明星』と『平凡』の記事で知った。食べ物にはカロリーというものがあって、それを毎回計算しながら食べるのがやせるコツというのは小学生でもわかったけれど、実行するには早すぎる。

やらかしたのは、高校を卒業したばかりの従姉妹のYちゃんで、ミコちゃんほど細くはなかったけれど濃いアイラインとミニスカートは同じで、まっ茶のロングヘアーになるには、「ビールで染めるといいよ」と中1の私に教えてくれた。そのYちゃんがその後どうなったのか。彼女の家族に聞いても、「う〜ん、元気だよ」と言葉を濁す。聞かないで欲しいという空気が流れたまま、消息がわからなくなった。

そして大本の『ミコのカロリーBOOK』は150万部を超すベストセラーを記録して、カロリーという概念を広く知らしめた弘田三枝子さんは20年7月に68歳の生涯を閉じている。

きっと真面目な人だったのではないかしら。あの時カロリー計算してやせた多くの人は、足し算、引き算が面倒で放り出したあげく、〝教祖さま〟を忘れたのに、ご本人はずっと当時の体重とお顔に縛られ続けたのではないかと、この本のタイトルを耳にするたびに痛々しくなる。そしてデブな自分を許してしまうのでした。

元祖カロリー計算！「ミコのカロリーブック」(1970)
絶対やせる
ミコのカロリーBOOK
コンビニでも
カロリー表示を見て買います
(いちおうね)
え〜と
カロリーは…
字が小さいわ…
老眼
1日1500カロリーでろヨ☆
それはムリ

3キロやせた!!
どうよ
スレンダーに
なったデショ
え⁉
やせたの⁉
全然わからない…

第1章

ダイエット70年史

1980年代

バブル期到来！「ガマン」や
制限をするのが、「ダイエット」！
医療美容系も台頭してきた。

総論

バブル！を経験した人は「また来ないかな？　バ・ブ・ル」なんて思うけど、未経験の若者は「なんか、1万円をあげてタクシー止めたらしいよ～」とか、「仕事終わりの金曜日の夜から、2泊で香港グルメ旅行ったんですって」といったエピソードばかり聞かされて、うらやましいやら、うんざりやら。

ダイエットも、やはりお金がかかるものが流行りました。食べ物もキャビアや、フォアグラなんてそれまで聞いたことない、食べたことのない贅沢なものが、グルメブームで庶民(より少しアッパー)のお口に入るわけだから当然太る、太る。1キロやせるのに10万円かかる、なんていってた美容整形系のダイエットもなぜか人気。お金かけて食べた分、やせるのにもお金がかかる…。不思議なスパイラルで世の中回ってました。

バブルさん
時は バブル期 80年代
ボディコンOL バブルさん
昔のわたし
ボディコン着てたのが 信じられないわー
細かったって ことね
趣味はエアロビ
ワンツ ワンツ
−0.5kg
花金は ワインバー
シャルドネ がぶのみ
+1kg
からの りんごダイエット
……
2日が限界!
−1kg
りんごじゃ 24時間 働けないわ!!
会社帰りに イタメシ いっちゃう♫
+1.5kg
♪24じかん はたらけ ますかーー♫
※当時のCMソング
超強力コルセットを ボディコンワンピで 包んでる
バブルさん
このワンピ キツイわあ
ちょっとずつですが 体重ふえてますね

紅茶キノコ1

上京した私を待ちかまえていた大ガラス瓶に浮かぶ不気味な物体と格差

私と紅茶キノコの出会いは昭和50年、農業高校を卒業して東京・文京区の就職先だ。就職というとカッコつけすぎかしら。正確に言うと住み込みの店員で、一階がお店で二階が倉庫と男子従業員の部屋。3階が家族の居住区で4階が女子従業員の寮になっていたの。

4月の初め、「食事は私が作ります」と奥さまに案内されたのが3階のダイニングで、そこの食器棚にガラスの大瓶が置いてあり、茶色の液体の中にクラゲのようなものが浮かんでいて気味が悪かった。

「これは何ですか?」と聞くと、美術専門学校に通う同じ年のMさんが「流行っているのに知らないの? なかなかここまで育たないのよ」と答えた。この店のお嬢さまで私と同じ年。彼女は学生、こちらは店員。「田舎に紅茶キノコはなかったんだ〜」と言われてひどくバカにされたと感じた。

身体にいいからといって、こんな気持ち悪いものを東京の人は飲むのか。私は飲まない。田舎者とバカにされても誰が飲むもんか。

朝、昼、晩と奥さまの用意した食事を食べるたびに、私は紅茶キノコから目を逸らしていたら、いつの間にかダイニングから消えていた。

ご家族の誰かがこれを飲んでいるところを見たことは一度もない。

それ以降は、「いまだに飲んでいる人がいるかっていうの」と流行り廃りの廃りの代表格としてその名を聞くようになったけど、なんか最近、また流行り出したんだって？

もちろん私は飲みません！

紅茶キノコをご存知？
昭和50年頃大ブームだったらしい
紅茶味のキノコ？ノンノン！
砂糖入りの甘い紅茶に菌を入れてはっ酵させたもの
ゼリー状のかたまりがキノコのよう
東モンゴル発シベリア経由のはっ酵ドリンクですって
ご近所さんへの「おすそわけ」であっという間に広がり
うちの少し持ってく？
毎日飲むといいらしいのヨ
あらうれしい。
my紅茶キノコがそこいら中のお茶の間に!!
体にいいのよ
やせるのよ
ガンに効くって
話、大きくなってませんか？

紅茶キノコ2

美しいインストラクターが「コンブチャ♡」なんて言って、またやる気になる人がいる不思議

「昆布茶って身体にいいらしいよ」と健康情報を誰より早く話すことに命をかけているR子が得意げに言うと、「ああ、昔の紅茶キノコでしょ?」とH美がバカにしたように鼻で笑ったからR子は面白くない。「そうだけど時代が違うもの。紅茶キノコが進化して、ダイエット効果、すごいらしいよ。私の友だちは1ヶ月で4kgやせたし」。

しかしどういうわけか、みんなリバイバルとか第二弾って好きだよね。『帰ってきた○○』とか大喜び。もっとも、コンブチャの場合、『帰ってきた紅茶キノコ』と言うと第一次紅茶キノコブームに乗っかって懲りちゃった人は手を出さない。だからかどうか、名前を変えて売り出したってあたりで、キワモノ感ぷんぷん。コンブチャがカタカナ表記なのも、私は胡散臭さしか感じないんですけど。

リバイバルの時に英語訳者がゼラチン状のぷよぷよを昆布と誤解し、英語ではKombuchaになったたって、まあ、雑にもほどがあるわ。

コンブチャってさ、昆布茶のことだと思ってたよ
ちがうらしいよ

そうそう。紅茶キノコのときもそうだったけど、見事な親菌を育て、コンブチャ教祖になりたがる人がいて、信者になりたがる人もいて、「R子さんはあの人には親菌を分けたのに私には黙っていた」と、何かとモメゴトの種も培養しちゃうのは、どうかと思うなぁ。引き続き、私は飲まないし、育てません！

～うちの母なんて 紅茶キノコの成長を 楽しみにしてたわね
～うちの子 いいかんじに 育ってきたわ♥
台所の片すみにある 紅茶キノコ…
このゼリーが浮かんでるのが ちょっとこわくて 飲んだことはないのよ
ドキ ドキ
酢っぱくて まあまあおいしい そうです
ようは お酢？ みたいなものらしい
そして今また！ "コンブ茶"という なまえで 復活!!
Kombucha★
海外セレブに 大人気!!
コンブ？
現代版は 飲みやすいワ
やせちゃうかも？

地中海ダイエット

ファッション誌で見たとたん、「ぷぷぷ、地中海って語感にダマされちゃって」と鼻で笑った私。だいたいさ、かの地の人のように肉や卵、乳製品を控えめにして、野菜と豆、穀物と魚を毎日食べろなんてね、はい、都会でラグジュアリーな暮らしをしている人はどうぞ、だよ。そりゃあ、全粒粉のパンにオリーブオイルをたらりとたらして食べたらたまらんですよ。でも毎日はダメ。白米と刺身と納豆と辛子明太子と縁を切れってか?バカこくな!あ、でもギリシャの島で数珠をいじっていた爺さんは90才で耳遠くなかったなぁ。身体にはいいのかもね。

リンゴダイエット

リンゴは新鮮なものを剥かないで食べる、当然無農薬、旬じゃないと結構高価。

神楽坂で編集プロダクションの真似事をしていたころのこと。取材先から果汁100パーセントのリンゴジュースをたくさん送っていただいたのに、スタッフの女子たちは見向きもしない。実は私も好物ではなかったけれど、雑誌でやたらリンゴダイエットを取り上げていたのと、狙っている男がいたのよね。何せ3日で3キロ落とせるというふれ込みだもの。

当時の私は3キロやせたら迫力ある30女から、イケてるキャリア女になれるような気がして。よしっ、と気合を入れて立ち上がった。

紅玉、インドリンゴ、ジョナゴールド……。スーパーに並んでいるリンゴというリンゴを買い込んで、1日目はお腹がすくとシュワシュワシュワとかじるか、ジュースをがぶ飲みするか。が、朝、昼はいいとしても、3時のおやつにリンゴの皮をむいたあたりで早々にイヤになった。夜はいくつかのリンゴをゆでてお腹に流し込んだ。

2日目は櫛形のリンゴをオーブントースターに並べて焼いたりしたら、もうちょっとイケそうな気がしたけど、3日目の朝、なんと芳しい草食動物のうんこが出たのよ。黄色で繊維質で、間違いなくリンゴの匂いがするのはけっこうだけど、生物として1段も2段も弱くなったような。

とかなんとかいいながら、結局は〝ばっか食い〟の限界。身体の細胞ひとつひとつが「飽きたぁぁああ」と叫びだしたんだね。それでも朝、昼はどうにかこうにか自分を誤魔化してリンゴを口に押し込んだけど、最終最後、残すところあと1食の夕食、仕事仲間から夕飯に誘われたらもうダメ。もう30年以上も前の出来事なのに、あの夜行った和食の店で食べた稲庭うどんの味はよく覚えている。

その翌日は新宿の商店街のおじさんたちとゴルフだった。更衣室でミニスカに着替えたら、あらら、足腰のラインがスッキリしているではないの。体重もキッチリ3キロ落ちた。で、ラウンド前の打ちっぱなしで練習をしていたら、背後から保険屋のTさんが「いいお尻しているね～」だって。これを「セクハラ」なんて言ったらバブル期の交友関係は成り立たない。

えっ？お目当ての男とはどうなったかって？こっちは忘れました！

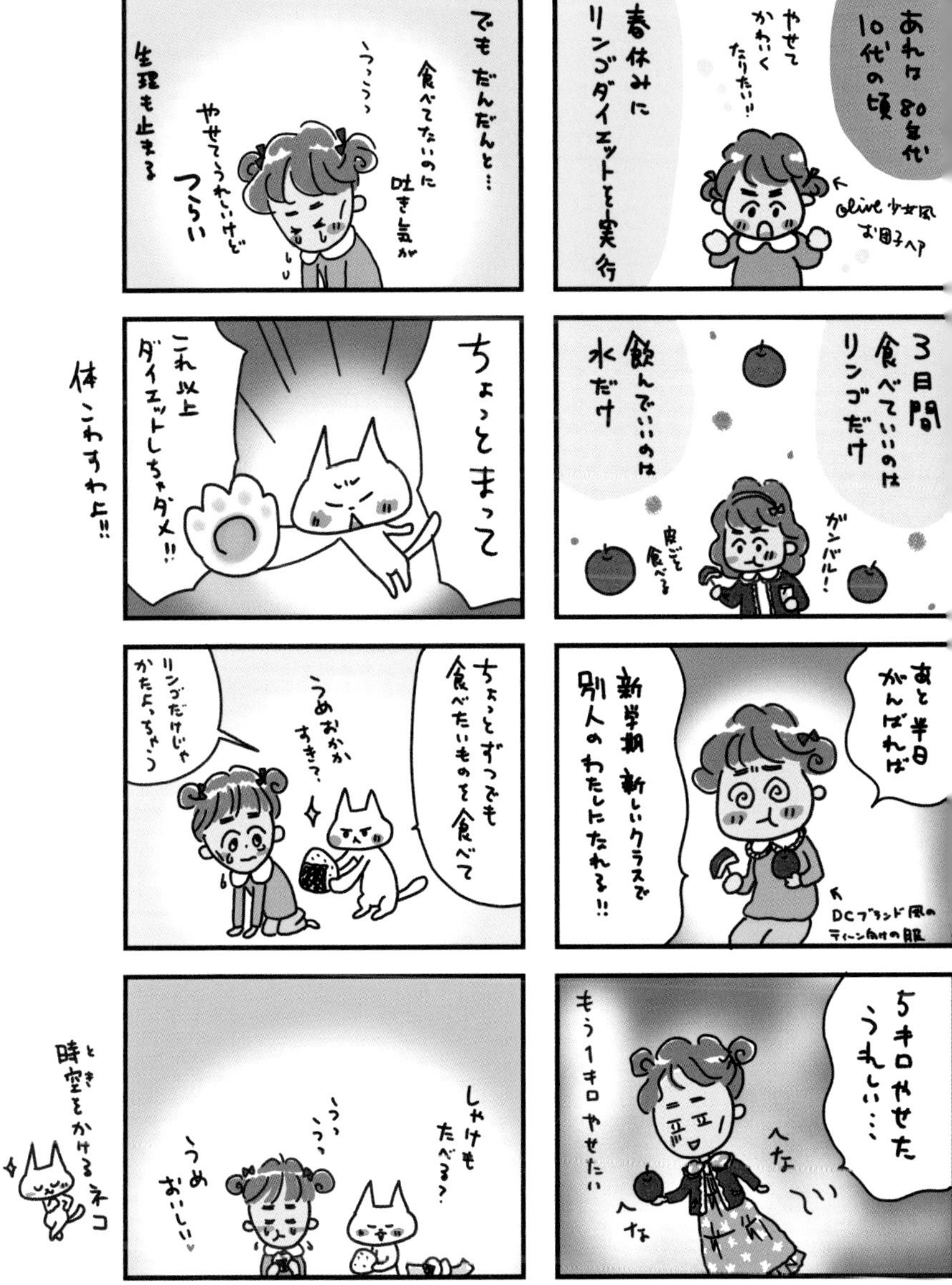

あれは80年代 10代の頃
やせてかわいくなりたい!!
春休みにリンゴダイエットを実行
Olive少女風お団子ヘア
3日間食べていいのはリンゴだけ
飲んでいいのは水だけ
ガンバル!
皮ごと食べる
あと半日がんばれば
新学期 新しいクラスで別人のわたしになれる!!
DCブランド風のティーン向けの服
5キロやせたうれしい…
もう1キロやせたい
へな
へな
でもだんだんと…
食べてないのに吐き気が
うっっっ
やせてうれしいけどつらい
生理も止まる
ちょっとまって
これ以上ダイエットしちゃダメ!!
体こわすわよ!!
ちょっとずつでも食べたいものを食べて
うめおかか すきで
リンゴだけじゃかたよっちゃう
しゃけもたべる?
うっうっ
うめおいしい♡
時空《とき》をかけるネコ

エアロビクスブーム

レオタードにレッグウォーマー、スエットベルト…カタチから入ってテンションあげて、国境を越えよう！

なんたって日本でも有名女優だったジェーン・フォンダが、見事なスタイルと激しい切れ込みのレオタードを着て、インストラクターをしているという衝撃。ビデオテープを見るとちゃんとマジメに指導をしているんだよね。

正確にはエアロビクス・ダンスといって、エアロビクスだけだとただの有酸素運動でしかない、なんてことはどうでもいい。それこそ私も含めて20代女は、レッグウォーマーを足首に巻いて、心意気を見せたワケ。

が、実際いっしょに動いてみるとかなりハード。V字切れ込みのレオタードが似合う身体になるのは諦めるしても、あのウエストを手に入れるためにはどれだけ汗を流すのか。いや、汗をかいても骨格が違いすぎて、あの身体にはなれないな、などなど、下半身デブの私に複雑な気持ちを植え付けたエクサだったと思う。

エアロビクス☆
80年代☆フィットネスブーム
キツくても
笑顔✧
ピチピチ☆
レオタード
レッグ
ウォーマー
リーボックの
エアロビシューズ
なつかしい
エアロビやって
次の日
食べて飲んで
体重戻る
この
くり返しね
レッグウォーマーって
暑そうですけど？
足首やせると
思ってたのヨ
全然
やせなかったわ

たのしー♪
music by
♪「フィジカル」
オリビア・ニュートンジョン♪

高級エステサロン

正価は高級なんだけど、なぜか「お試し券」や「紹介チケット」で。まずは1000円ポッキリ!?

「20回29万8000円コース　今なら1000円で体験キャンペーン中」

こんな広告につられてエステサロンのドアを開けたことがある。

バブルの泡が膨らみはじめた80年代後半は女性週刊誌の全盛期で、ライターの私は寝る間も惜しんで働いたけど、同時に麻雀を覚えたのが運のつき。こちらも寝る間を削って、大学生たちとポン、チー、ロン。美にお金を注ぎ込むことなど、すっかり忘れていた私に、バブリーなライター仲間は、「パリに行ったら絶対ゲランのエステに行ったらいいよ。日本と比べたらすごく安いから」と、ふざけたことを言っていたっけ。

それでも、30女になっていた私は一度くらいはエステを体験しなくちゃと、寝不足の頭で考えたんだね。なんたって1000円だし。

足、太もも、お尻。施術はとっても素晴らしくて、エステティシャンに言われるまでもなく、これを続けたら楽してやせられると確信した、ような気もした私。気がついたときには目の前に20回コースの契約書が置かれていて、すんでのとこで逃げて帰ってきた。

気まずいなんてもんじゃない。私は一度で懲りたけれど「エステのキャンペーン逃げをしているの」という知人がいた。彼女の肌は確かにピカピカになったけどタダ同然で逃げていたせいで、どんどん目がキツくなって悪顔になった。

高級エステで磨きをかけて
25才までに
3高のカレとゴールイン!!
アッシーくんはカレとは別の人
BMWで迎えに来てくれる
メッシーくんもまた別の人
ここのティラミスおいしいんだぜ
おいしいイタメシに連れていってくれるの
高級時計
飲みすぎてむくんじゃった
カーラーで前髪を立てる
ロングヘアはバレッタでとめる
もしもし次回の予約を
エステに行かなきゃ
プッシュホンの子機
……
ひとこま目にもどる

脂肪吸引・プチ整形

「脂肪の数が生まれたときに決まる」、だったら、減らせばいいんじゃない？という発想はすごいけど。

突貫工事といえば突貫工事。手っ取り早いといえば手っ取り早い。ついでに彼女らしいとも思ったのを覚えている。

私が脂肪吸引というやせ方を知ったのは、1980代後半、女剣劇士の浅香光代さんがしたという週刊誌の記事でだった。ミッチー、サッチー対決が連日、ワイドショーを賑わせたずっと前のことだ。

女剣劇とは胸にサラシを巻いたまたたび姿の浅香さんが中心の時代劇で、ご本人は体のキレが良くなったとすこぶるご機嫌。何度もテレビに出て吸引の話をしていたっけ。だけど言うほどすごい？私の周囲に彼女に続いた人は出なかった。

プチ整形の方は、30代の時は見送ったけれど、40代になってレーザーでシミ取りと鼻の横の大イボ取り。ついでに手術糸でリフティングもしたけど、いちばん痛くなくて短時間で終わったイボ取りが最も評判が良かったのは意外だった。

この頃から美容整形や脂肪吸引
など。医療の力で美しくなる人も。
力尽くでもキレイに!!
ハイレグ
レースクイーンも
80年代から
このへんの脂肪を
ガーーッと
とりたいよね
ムニ
ムニ
プヨ
プヨ
とはいえ
手術はちょっとこわいわー

「ダイエット本」全盛期

かつてダイエット本が当たってカリスマになった
タレントさんに後日談を聞かないのが業界のお約束?

80年代、タレントのダイエット本が次々とベストセラーに!!
鈴木その子
「やせたい人は食べなさい」
ごはんをしっかり食べて油・肉をとらない
あの「美白」の鈴木その子よ
白山みどり
「ポカポカあたためてグングンやせる」
ポカ ポカ
うつみ宮土理
カチンカチン体操
やせたい部分に力を入れてカチンカチンにする☆
カチン カチン
骨盤体操の元祖
「こんなにヤセていいかしら?」
マッハ文朱
「ハトムギ美人になろうよ」
酢大豆でキラキラやせた
月見草でいきいきやせる
etc…
ふう…
もうタイトルだけでおなかいっぱいです
キジトラねこセーター

第1章

ダイエット70年史

1990年代

バブルが弾けて平成不況に。
お手軽、お手頃お金のかからない
ダイエット全盛。

総論

世の中はやはり、陰と陽で成り立っているもの。バブルが弾けたら当然不況がやってくる。「リーマンショック」という、ちょっと笑っちゃうような名前の元にみんな節約ムードになったものでした。もちろん、粗食もブームでもありますが、バブルの名残の高級ブランドのやせ薬も、「様子見てからとりあえず、一本買っておこう」といったちょっと倹約ということも覚えてきていました。

ダイエットも、高いお金かけて、結果が派手、というよりもコツコツと「いつの間にか、こんなにやせていたんですよ」といった、ごく身近なものを身に着けるだけ…といった方向に行ってしまうのでした。

100円均一ショップなどもごく普通に「ダイエットコーナー」を作ってスポーツジムで2000円以上もするゴムチューブをさらりと105円(当時は消費税5%)とかで売っていたため、何個も買い求め「これ何に使うんだよ?」と夫に太いゴムの束を見つかったりもしました。お手軽でも「やらなきゃ」ダメですよね。

ガードルはね
ちょっとヨレて
くたびれたのが
はきやすいのよ
洗たくもの
ちょっと くたびれたほうが
いい…
これからの私も
そうありたいわ…
ユルく
ラクにね♥

スヴェルト

高級ブランドだもの。高いんだから…と
効いた気になった塗り薬なのに…。

女性週刊誌で温泉ライターをしていた30代後半の私に、イタリア留学から帰ってきたSさんが「友だちのCA《キャビンアテンダント》から3本買ったんだけど、いる?」と、タイの布バッグ、「ナラヤ」のおリボンバックから取り出したのが『スヴェルト』。

パリコレに出ているモデルはみんな使っていて、SさんのCAしている親友がパリの空港で買えるだけ買ってきたんだって。

で、「1本8000円で」と言われ、つい財布を開いたのは一にも二にもディオールというブランド力。化粧品会社が満を持して発売するのだから、それなりのもの。8000円というお高めの値段も効果を証明していると、その時は思ったんだけどな。

結局、2、3回、忘れたころにお腹とお尻、太腿につけたものの、効果があるかどうか以前の話。〝継続〟が苦手な私に、最も不向きな商品だってこと、「やせる」の三文字の前にすっかり忘れるのは今もそう!! 治らないわ。

みなさん
これご存知？
ぬるだけで
スラリ美脚に
ディオールの
スヴェルト!!
DIOR SVELTE
Christian Dior
その昔、
デパートの売り場に
長蛇の列ができたという
伝説のアイテム!!
Dior
買うわ!
ぬるだけで
スラッと!!
ぬるだけで
細く!!!
あの頃は
ロングだったのヨ
山口智子カット♥
ぬるだけで
〜〜
スラリ〜〜
ディオール
ですもの
お金もかかってますもの
効《き》かないわけがないわ
で
細くなったのでス、
ん──！
お肌は
スベスベになったカナ

やせる石鹸

キャビンアテンダント（CA）発海外のモノに飛びついてしまう傾向はダイエットに限りませんが…

中国ものといえば、この「やせる石鹸」の前に、ウーロン茶を語らねば。1980年代初めに、食べた油を溶かして体外に流すお茶として突然現れて、あっという間に広まったの。

恐るべし、中国4000年の歴史。ウーロン茶を飲んでいるから中国人は油っこいものを食べてもデブにならないのね。てことは中国には私たち日本人に知られていない“秘伝“がもっとあるのかも。

そんな幻想というか、期待が海藻入り石鹸にこめて使ったのは私だけではあるまい。1個2000円の青いパッケージがドラッグストアの店先に山と詰まれては消え、「次の入荷は○日です」というポップが風になびいていたっけ。

そうそう、これも日航のCAの口コミから始まっているのよね。えっと、CAの仕事って何だっけ？（笑）

で、下っ腹にふっくらとお肉がついてきた私も、お風呂のたびに使っていたけど「1か月では効果が出ません」という記事を読んで断念。「3個目」という友達もいたけど、ちょっとくらいやせたのかしら。

みなさん これご存知かしら
90年代、大ブームを巻き起こした
SOFT
made in China
やせる石けん
なんというビックリアイテム…
洗うだけでやせる!!
胸は洗っちゃダメよ
※やせておっぱいぺたんこになっちゃう～
※科学的根拠はありません
なんと!!
やせた!?
乾かしたら元どおり
ふかっ
ふくっ
だよネ

ダイエットスリッパ

子供用?と見間違う、かかとが浮いた室内ばき。
安いし、効果アリ、アリだけど捻挫率高し。

「見て。3日前からこのスリッパをはいているの。足首、細くなったかな」と言って、20畳ほどあるリビングでクルリと回ってみせたのは8歳年上のK恵さん。試しにちょっとだけはかせてもらったら、「これはやせる!」と直感したね。ず〜っと前傾姿勢のつま先立ちだもの。

しかも見た目より動けそう。皿洗いをしてみた。いける。トイレに行ってみた。いける。そうそう、私のダイエットの課題はウエストから下の腰からお尻の大きさ。やだ、これ、足が細くなるだけじゃないよ。腰から下のラインがきれいになるんじゃない?

で、その日のうちにスリッパを買った。が、はこうとするとすごく緊張する。「今日はいいんじゃね?」と、もうひとりの私がやめさせようとする。そんな日が1年ほど続いたかしら。結局、一度も足を通さず捨てた。1足1500円というお手軽な値段だったせいでゴミ袋に突っ込んでもちっとも心が痛まなかった。

はくだけ!!
カカトのない
ダイエットスリッパ
つま先立ちをキープ
はいて家事するだけで
美脚に✧
ふくらはぎが筋肉痛になる
オトナ女子にはキケンアイテム
ボーダーTシャツ!!
でもね
冬のソナタつづき観なきゃ
ヨン様のヨン様巻き
冬のソナタ
マメに動かないと
効果はありません
すぐ座るし
脱いでるし
ヨン様巻きぐるんぐるん
やせそう

ラップ巻き巻きダイエット

ギャンブラーの不実な身体を巻いてくれたエステティシャンさま、ごめんなさい。

30代から40代の女盛りを、美の追求にかけていたら60代の今、もう少しいい感じのオバちゃんになっていたのではないか、と思うことがよくある。

あの日、友達が行きつけの痩身サロンのベッドに横になったのは、麻雀で勝ちに勝って気が大きくなったから。友達の名前を言うと、お試し価格の1万円でフルコースをしてくれるという。私は胸下からビキニラインのギリギリまで、特殊な痩身液をつけられたあと、ギシギシと贅肉を揉み込まれた。その後、ラップでぐるぐる巻きにされたら、身体中が熱くなって「これでサイズダウンしなかった人はいません」と言う声を遠くで聞いたような……。

「お客さまぁ」と揺り動かされた。時計を見たら4時間が経過している。何度も起こしたけれど起きなかったそうな。そりゃそうよ。丸2日寝てないんだから。

「施術でウエストサイズが何センチか落ちています」と、彼女はしきりに強調して、私も「すごいです。気持ち良くて寝てしまいました。次、また来ます」と合わせたものの、リピートする気があったかどうか。そんなわけでラップ巻きと聞くと、不実な頃の自分の象徴のようで、どうにも居心地が悪くなる。

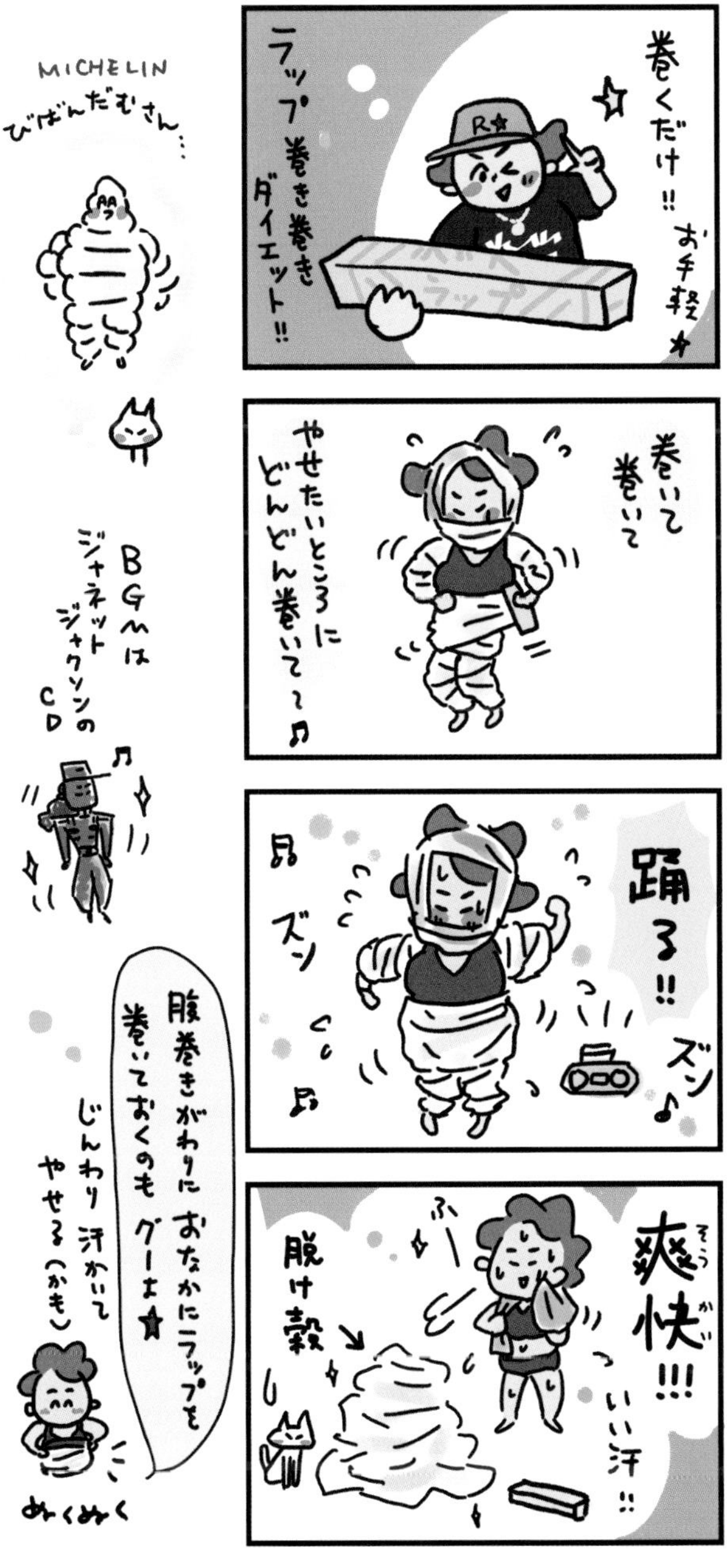

巻くだけ!!
お手軽☆
ラップ巻き巻きダイエット!!
巻いて巻いて
やせたいところにどんどん巻いて～♪
踊る!!
ズン
ズン
爽《そう》快《かい》!!!
いい汗!!
ふ～
脱け殻
MICHELIN
びばんだむさん…
BGMはジャネットジャクソンのCD
腹巻きがわりにおなかにラップを巻いておくのもグーよ☆
じんわり汗かいてやせる(かも)
ぬくぬく

環境にやさしくない

お茶でやせる

お茶は毎日飲むものね、いつの間にかサイズダウンしてるかもね。

やせるお茶といったら幕開けはウーロン茶だ。なんども言うけど「中国人に肥満が少ないのはこのお茶を飲んでいるからよ」と、脂の浮いた中華料理を食べ尽くしたお皿に、茶色いお茶をかけると、あら不思議。キトキトの脂が右と左に分かれて真ん中に脂なしの道を作っているではないの！

80年代初頭にこのCMを見た私はすぐに薬局に走ったわよ。中国のお茶はドラッグストアで売っていたんだよね。で、確かにお皿の脂は浮かせるんだけど、お腹の脂肪はどうなんだ？確信が持てない私たちの前にプーアール茶だ、杜仲茶だ、減肥茶だ、黒烏龍茶だ、中国4000年の歴史をBGMに現れ、そのたびその気にさせてくれた。そしていまルイボスティーの時代、とかなんとか。もうその手には乗らないよと横目で睨みつつも淡い期待が捨てられない。しかもそれぞれ美味しいから「看板にいつわりあり！」とねじ込む気にはならないんだけど、「で、お茶ってほんとにやせるの？」。

ふだん飲むお茶を
やせるお茶に
変えてみる作戦
スラリ茶
じわじわ
効いてくるに
違いない
フフ
『やせるお茶』
と言われるものが
これまた たくさんあって
メタボに
杜仲茶
マテ茶
脂肪に
プーアル茶
むくみに
ザクロ茶
黒豆茶
ごぼう茶
自分に合うお茶を
試してみるのも楽しい
アボカドの種茶
ルイボス茶
タンポポ茶
バタフライピー
マルベリー茶
えーと
5分蒸らす
字が小さいワ
黒ウーロン
葛花茶
ユルム茶
えーと
今日は
減肥茶で
やせるお茶には
カフェインがあるものも…
飲みすぎには
気をつけて
眠れない…
ギン
ギン
ホドホドにね
たぷん
たぷん
飲み続ければ
そのうち 効いてくるかも?

細く長く、ホドホドに、続けることがだいじです、何ごとも。

センナ茶

内科医が何回「宿便など存在しない」と言っても、どばーっと出してスッキリしたいの

エクササイズでも、〝ばっか食べ〟にしても、ダイエットはそれ相応の覚悟がいるけれど、センナ茶は違う。朝から夜寝るまで、なんの苦もなく飲めて、毎朝どっさり出て、お腹ぺたんこ。結果、するする、みるみるやせるって、キャ〜ッ、なんてすてきなの♬しかもお茶は安い。せいぜい青いお札を1、2枚出せばいいだけのこと。もしかしてノーリスク、ハイリターンの夢のダイエット法ってこれかもと、肉襦袢お腹をなでた私。

この中に眠っている〝宿便〟とやらが出たら、そりゃやせるでしょ。一度、宿便が出きったら、あとは身体がやせる方に舵を切って、ひゃはは、うほほ、面白いようにやせるのね。と、こんな夢を見たお花畑女を誰が笑えよう。「これ、下剤じゃね?」と悪口を言われながらセンナ茶は、今日もダイエットコーナーに並んでいて、痛い目にあったことも忘れて、ふと買いそうになるんだよね。

どばーーっと出して
おなかスッキリ
↑センナ茶
どんな人でも3〜5キロたまっているのです
翌朝には
ほら見て☆
宿便出しておなかぺったんこ!!
誰!?
ちょっとまってください
あのね
じつは"宿便"なんてものは存在しないのですヨ
腸のカベの細胞はひんぱんに生まれ変わるので何キロもの便がずっと腸にとどまっていることはないのです
え!? そうなの!?
そーなんでマス
あくまでガンコなベンピ対策
こく こく
センナ茶
ベンピ解消がんばりましょうの歌歌いまス!!
ルルル
出すだすダスだス
もりっと〜♪
食物せんい〜
水分〜
うんどう〜♪

ロングブレス

呼吸はタダなんだから使わない手はない！本当に正しく身に着けたらこれほどいいダイエット法はないかも。

俳優やタレントが、ある日ダイエットのカリスマになる。忘れた頃に起こる現象だけど、そのたびあらぬ想像を膨らませてしまうんだわ。

テレビのこっち側にいる私ら無名人は気楽なもので、テレビ画面で記憶した有名人が半年、1年、いや3年消えても、「しばらく見かけないな」と思い出すこともない。でもご本人にすれば仕事が途切れた1年、3年は長いなんてもんじゃない。聞けばこういう〝閑期〟を経験しない有名人ってほとんどいないんだってね。

実は私、それでとても失礼なことをしたことがあるの。友達の結婚式の二次会で隣に座った男性に「ご職業は？」と聞いたら、「俳優です」。その憮然とした顔で一時期は知らない人がいない青春スターだったことに、やっと気づいたの。それで、「だと思った（笑）」とフォローしたけれど、とうとう彼の不機嫌は治らなかったわね。

ロングブレスは流行したとき、ちょっとだけやってみたけど、これでインナーマッスルを鍛えるのは大変、ということより、同い年の美木良介さんが息の長い俳優になっているか気になって、集中できなかったのよ。今また、ちゃんとやってみようかな。

これ まじめにやれば
ちゃんと効きます
とくに おなかまわりに
ホラ
おなかぺったんこ
凹
1日2回でも効果あったわ
ホントは朝昼晩とやるともっといいのよ
じゃまたやれば?
やろうやろうと思ってるんだけどね
やれば絶対やせるしねぇ
でもバタバタしてるうちに忘れちゃうのよね
バタバタ…

ビバリーヒルズダイエット

「ヒルトン姉妹」登場！金持ちセレブな外国人の美を保つ複合的なダイエット。

昭和32年生まれの私にとって初めてのアメリカは、テレビドラマ『奥様は魔女』。ドラマの主要人物はみんなスリムだったっけ。しかしその後、テレビに何気なく流れたアメリカの街角を見て驚いたのなんの。「百貫デブ」の多さがとんでもないんだもの。それやこれやで子供のころの憧れの国の輪郭がかなり薄ぼんやりしてきたころ、現れたのがビバリーヒルズよ。

デブの国だけど、目が覚めるような美人女優がたくさんいるハリウッド映画の国でもある。ハリウッドといえばビバリーヒルズ。そうか太りやすい人たちがちょっと本気になるとスリムになる方法があるんだ！

ふむふむ、「肥満の原因は、何をどれだけ食べるかではなく、何時に何を何と食べ合わせるか」ね。「果物を食べるときは果物だけ。タンパク質は脂質を一緒に食べる」ね。で、トドメは「酵素の多いパパイヤなら、いくら食べてもＯＫ」

ええ、ええ、買いましたとも、目が覚めるような高額の生パパイヤ1個。そして滴る果汁で手をベタベタにしていたら、子供のころ、お金持ちの家の葬式の祭壇を飾る果物かごには必ず南国のフルーツが入っていたっけ…。

ってね、いくら自分を騙そうったって限度があるわ。こんなに強烈な香りの果物を食べなくちゃならないなら、そらやせるよ。ってか美味しい、まずいを通り越して、生パパイヤでお腹いっぱいはある意味拷問だね。1個2000円って人をバカにしてる(泣)。買えるかよ、こんな高いもの！私はあれきり一度もパパイヤを口にしたことがない。

アメリカ人、恐るべし。そして理解不能！

ビバリーヒルズ ダイエット
Beverly Hills Diet
別名 パパイヤ ダイエット
ビバリーヒルズのスターが パパイヤ食べて やせたって 話？
そそ 生のパパイヤ 食べてやせた話
生のパパイヤ 当時はなかなか売ってなかったから バブリーな人しか できない ダイエットだったわね

じつは
ウエストのボタンは
はずしています
バレたこと
ないわヨ

第1章

ダイエット70年史

2000年代～現代

理論に基づくダイエットブーム。
健康的にやせることが第一。
一方「美魔女ブーム」も。

総論

21世紀にはいると、もう「ダイエット」という言葉を恥ずかしがって話す人はほぼゼロ。まさにジェンダーレスに、「パパも、ダイエットさせなくっちゃ」と、夫婦で「健康」目指して一緒にダイエットしたり、子供にもプロテイン飲ませたり…。

このダイエット法はこうだから、身体の（内臓の）ココに作用してなにかを抑えるからやせる…といった、「食べるだけ」「つけるだけ」というものとは違う理屈っぽい傾向がみられてきます。「身体の深部まで届く」や、「食欲を抑える」といった言葉がダイエット特集に踊ります。「要は脳に覚えさせることよ」などと、SNS発信などから一般人のダイエット伝道者がたくさん登場し、スターとなっていく時代です。

ハロー!!
21世紀☆
健康増進法
摂取カロリー抑制
2000
消費カロリー促進
メタボリックシンドローム
デトックス
理論に基づく健康的ダイエットの時代キタ!!
深夜のテレビ通販でうっかりダイエットマシンを買ってしまったり
今なら ミニサイズも付けて 9,980円!!
ブラウン管テレビ
買う!! 急いで電話!!
もしもし―
テレビで紹介してたダイエット食品を買いに毎日スーパーに走ったり
ズバリ黒酢でやせる!!
寒天
納豆
理論に基づいているかはビミョーですけど
健康的ではあります
21世紀になってもダイエットに対する情熱は変わらず
にがり水
ヴィクトリー
ビリーズブートキャンプ
ホットヨガ
クス

ビリーズブートキャンプ

「入隊」という新語が、キュンとなる筋肉ブームの火付け役

「だから途中でやめてもいいんですよ。てか、50分近くのエクサを最後までするのは絶対にムリだと思うんです。正直、ハードマッチョなビリー隊長って僕はついていけないし、平和な日本、なぜわざわざ新兵訓練施設に入隊しなくちゃならないんですか。ええ、ええ、だからぼくは見ているだけでいいです。オバだけちょろっと、できるとこまでやるということで」

2005年、編集担当のO君は、流行り始めた『ビリーズブートキャンプ』にオバ記者が入隊して、早々にギブアップするであろうから、その懺悔録を書かせたいと、そう思ったらしいの。

48歳の私だってそう。DVDを見ただけでお腹いっぱいと思ったんだけどね。あらま！「ワンモアセット」「レッツゴー」「グッジョ」。隊長のかけ声を聴きながらだと、身体がまあ動く動く。

見た目は鬼軍曹だけど、
アメとムチが
絶妙なトークに萌えた。

「ワンモアセット」「レッツゴー」「グッジョ」私のわかる英語で気合いを入れてくれる。

てかさ、身体がくたびれてくると雑念が湧いてくるのは私だけ?ひんぱんにアップになる金髪ポニーテールは誰?前列は優等生だけど後ろの方は、足の上げ方、甘いんじゃ?そんなこんなで、途中、サボりながら「あ゙あ゙あ〜っ、もう無理だああ」と叫びながら、「ビクトリーー!」。とうとう最後までやり遂げたのでした。

体格と年収では負けても、やる気で負けるわけにはいきません!

負荷をかけ方がほどよい
ビリー隊長の
肩、腕のエクササイズあれこれ

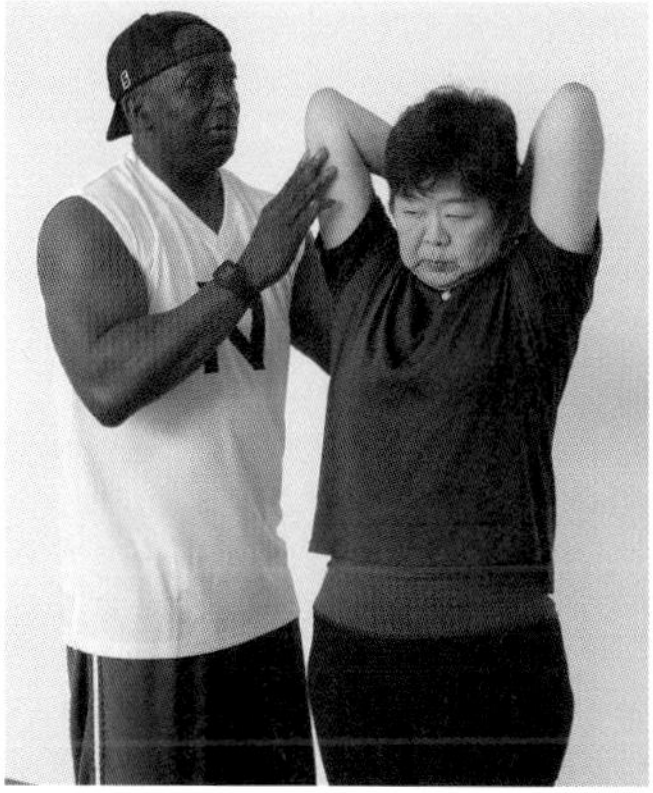

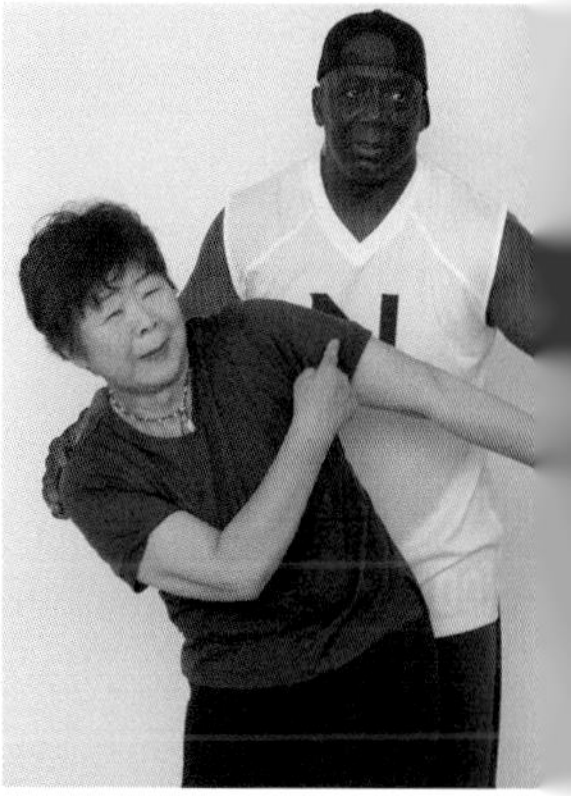

まだコロナ禍なんてどこにもなかった頃のこと。ビリーさんは感じのいい日本人の奥様といっしょに世界中のスタジオを回っていました。ふたりの馴れ初めを根掘り葉掘り聞くと通訳の奥様はテレくさそうに話してくれました。

運動不足のアラカンでもムリなく続けられるエクササイズをていねいにコーチしてくれた

が、問題はそのあとよ。猫しかいないまったりしたひとり暮らしに、ビリー隊長を混ぜる気にならないのよ。3日たち、1週間経ち、10日たったある日、「えいやっ」とDVDをかけてみたときの気恥ずかしさと言ったらないんだわ。

原因は英語。素の私は「それそれそれ。どっこいしょ、どっこいしょ。は〜あ、どうしたどうした」だもの。誰もいない畳の部屋で「カモン！」なんて、お願い、やめて。

そのくせ、2019年にビリー隊長が直接、エクサの指導をしてくれると聞いて、ホイホイと出かけて行った私。週刊誌には、『太って見る影もない』なんて書かれていたけど、どうしてどうして。生ビリーさんの腕の盛り上がりは半端ないし、何より笑顔はとってもチャーミング。エクサの合間についつい私、素敵な褐色のお肌に手を伸ばしちゃった。

だけどやっぱり訓練生がわらわらいてこそキャンプ。あいつが辞めないなら、私も辞めないと張り合ってこそキャンプ。DVDでひとり励むものではないと、それは今でもそう思うなぁ。

エクササイズDVDが大ブームに
ビリーズブートキャンプ
カモーン
入隊しました!
ビリー隊長はハードすぎて1日で除隊
ビデオからDVDに移行しつつあったのがゼロ年代
コアリズム
さあ行くわよー
おなかに効く!!
DVDとビデオどちらも再生できるやつ
楽しい!!
もれなく筋肉痛
ヨレヨレ
またやろうかしら
トレーシーメソッドは未開封だわ
昔のエクササイズDVD、今はユーチューブで観られてべんりネ☆
さあみんな準備はいい?
i-pad

カーヴィーダンス

出産後の芸能人が「3か月で元の体形に戻った」と雑誌やワイドショーなどで広めていった

えっ、この人、私より6歳しか年下じゃないの？ で、腹筋、割れているし、身体の動き、キレッキレ。それになんたって愛嬌のあるお顔がいいじゃな〜い。

『DVD付き 樫木式カーヴィーダンスで即やせる！』（2010年）の表紙を見たときに衝撃といったらなかったね。だってこの人、渋谷のイケてるお姉ちゃんじゃん。いくらダンスしていると言っても、ここまで老けない人っているの？

で、これは私、雑誌の企画でマジに2週間キッチリやったのよ。時間を決めて、樫木先生の動きに合わせて、食事制限もしてマイナス5kgキッチリ、仕上げました。撮影日を決められていたので、意地でもやせてやる、と。

そんなせっぱ詰まった気持ちで取り組んだせいだと思う。DVDの中の裕美先生の羞恥心が、最初は女の子らしくて○だったけど、そのうちこの人、何考えているのかしら、と思うようになったんだわ。脚を大きく開くときに「恥ずかしがっちゃダメだよ〜」って、いらないでしょ。

その後、裕実先生、ビジネスパートナーだったヒロミと訣別したかと思ったら、スタジオを2つ開いたり閉じたりとトラブル続き。で、今は「尿漏れトレーニング体操」をしていたりしているそう。

しかし、あの腹筋、またダンスしたら手に入るかしら。

カーヴィーダンスのネバる動きで
ネバッ
クネッ
ネバッがむずかしいのよ
クネッ
ネバッ
クネッ
クネッ
ネバッ
見よこのウエスト!!
クネネバはウエストに効くネ

サボってたらまた…
ぽんっ

コアリズム

DVDを見ながらお家で、のパターンが多くなってきたけど、DVDがたまるばかり。

いちばん長続きした大きなスポーツジムに入会したとき、まずやったのは道場破り。時間があれば自転車こいでお風呂セットを持ってジムに急いだの。45歳って自分ではトシだと思っていたけど、若かったね。太極拳、ズンバ、バレエクサ、自力整体。その日、その時に開いている教室にかたっぱしから飛び込んだのよ。

そこでコアリズムは、当たるとうれしい教室だったの。動きがシンプルだからラテンダンスや、ブレイクダンスみたいに途中で振り付けがわからなくなって、ひとり創作運動をしなくていいもの。コアリズムの教室目当てにジムに通い出したら、くわばたりえがを45日間でウエスト19・5㎝やせ、体重を6・6kg落として話題になった。それで一気に教室の人気が出て、行けばできる状態ではなくなってしまったんだわ。

とにかくダンスは振り付けがカンタンすぎると飽きちゃう。でも複雑だとヤになっ

おうちエクササイズは 好きに動けて とっても 楽しいんですけど
家族に 見られた時が… …
one two
one two
ワンツ
ワンツ
ギャハハハ
楽しくて笑っちゃう
ドン引き
ただいまー…
↖夫

ちゃう。あと、ダンス系インストラクターってアク、強めじゃないっすか。自分のスタイル自慢しながらお金稼いでないっすか、とか言ってフェイドアウトするのもいつものこと。疲れてくると目の前の美しい人が憎くなるのよね。

ニンテンドーＷｉｉＦｉｔ

まさにゲーム感覚、というか、ゲームそのもの。画期的な動きに夢中になってしまう中毒性。

これがあったらジムに行くことなかったじゃん。てか、今までジムにいくら私、ムダ金出した？　ＷｉｉＦｉｔを開いたとき、最初に沸き上がってきたのが後悔。こんなに遊びながら楽しみながらダイエットできるなんて、もう、悔しい!!

で、「バランス」「有酸素運動」「ヨガ」「筋トレ」の４部構成のトレーニングを始めるにあたって、Ｗｉｉバランスボードで測定。自分の体の傾き具合と、いかにデブがを思い知ってから、さあ、始めましょうって、そうよね。ダイエットで何より大事なのは現状把握。

しかしテレビにつなぐと、こんなリアルなことができるのかと、テレビゲームで遊んでいない私はそれだけでひゃはは、ひゃはは。初日は楽しくて、楽しくて！翌日は違うプログラムに挑戦したりして、あはは、楽しいわ。翌々日はきつい筋トレに多少の加減をし始めて、気がつくとバランスゲームとヨガだけになったけど、どんなトレーニングだって私が動かすのは私の身体。動きにくいのも私の身体。

いいや、これは友人から「ちょっとだけ」と借りたけど、そのうち自分で買ってやろうと返品してから、早14年。買おうか、まだ迷っている。

〜うちでエクササイズやるのってさ
まず部屋を片付けるのがめんどうなのよ
片付け!?
ヨイショ
モノは脇に寄せて
ズズ
イテッ
家具がじゃま
よいもの買いました!! Wii Fit
これならバランスボードのスペースさえあればOK!!
バランスをとりましょう

↑ バランスWiiボード

ゲームでやせるなんてサイコー!!
…って思ったけど
今はどこにしまったかもわかんないわ

EMSマシン

ビリビリという痛気持ちいい刺激が、装着するだけで勝手に脂肪を燃やしてくれる？

ゴルフの景品、というと聞こえがいいけど早い話がブービー賞。ビリから2番目でお腹ぶるぶるマシンをいただいたの。これ、欲しかったのよね。なんたってごろんと横になっているだけで、勝手にマシンが腹筋を動かし脂肪を燃やしてくれるなんて、夢のようじゃない！

さっそく、その夜のうちに装着して見たら、あら、あらあらあら。お腹の真ん中の円形ボタンを回すとビリビリという振動がどんどん強くなって、なんだか効きそうじゃない！外出しても外からわからないと取説に書いてあって、ちょっとその気になったけど、でもこれはやめた。ウレタンの太めベルトがズレて落ちたら恥かしいし。

これ、腕用とか太腿用もある。それからバッタものもある。というのは私の住んでいる秋葉原の裏通りはバッタ家電の聖地で、小太り、黒リュックのアキバ兄さんに混じって〝市場調査〟をすると激安で店先に並んでいるんだわ。

その効果の違いはいかに。なんてことを確認する前に使わなくなった。寝てやせようとするダメな自分を「汗を流さないと!!」と叱る自分がいてね。まったく、やりもしないくせに、こういう商品を前にすると正しい自分の声が絶えず聞こえているのはほんと、困る。

二の腕
スチャッ☆
おなか
ぬん
太もも
顔
スチャッ☆
全身装着!!
ブブブブブブブブブ
ブブブブブブブブ
オート筋トレ!!
もはや自分で運動する必要なし！
ブルブルマシンで自動で筋トレ!!
なんかスゴイですね…

そのうち寝てるだけで筋トレできる布団とかできたりして
ブブブブブ
自分で動けるうちは運動しましょう
体を動かすと気分サッパリしますよ

サプリメント

食前に服用すると食べたものが、「なかったことに」。って、食べる量がハンパじゃない量なんですけど…

「これ?ま、気休めよね。飲んでやせるとは思わないけれど、飲まないより太らないかな〜と思って飲んでいるの」

そういって会うたび違うサプリを飲んでいるのは友達のJ子だ。中途半端な小デブだからやせたか太ったか、わかりにくいんだけど、私が感心するのはJ子の行動力よ。私も「これ、いいよ」と人から言われて〝やせサプリ〟を飲んだことがあるけど、結局続かない。だって何にどう効くか、わからないんだもん。わかるように書くと薬事法に引っかかるという事情はわかるんだけど、口に入れるものをやすやすと受け入れていいのかしらという猜疑心が消えないんだわ。

という私が、ここ何年も買おうか迷っている商品が『なかったコトに!』というサプリ。いいなぁ、このセンス。そう思いながら手が出ない臆病者の私。

食べるまえに
「はらはちぶ」と
10回、となえるべし
サプリをのんでも
のまなくても、
「腹八分」も
目指しましょう!!
糖や脂肪の吸収を
おさえるサプリ

column

挫折

いったいこれまで私はいくつのダイエットをしてきたのか。雑誌の企画やネット連載の原稿を書くために、とか言いつつ、ほんとのところ自分の身体の変化が面白いんだよね。有名になったダイエット法はかじっている。そのやる気はわれながら見上げたものなんだけど、そのたびに「で、やせたの?」と、鏡の中の自分に一瞬だけ問うて、あわてて目をそらすってどうよ。だけど、私のような失敗ダイエッターはみんなそう。やっていることはいつも一緒じゃないかしら。

情報収集→発奮→実行→挫折→反省→放心→情報収集→発奮→実行……。ってこの繰り返しに心当たりはありませんか(笑)。

要するに自分を信じてないのよ。「今度こそは続けられる気がする。いや、絶対に続ける」という段階から、ぷぷぷ。自分を笑っているの。「どうせまた」と人から言われる前に自分でツッコミを入れちゃう。

繰り返しといえば、失速するパターンもたいがい同じね。たいがいのダイエット法はちゃんとやれば効果はあるのよ。3～5kgは落ちる。だけど、私の場合、仕事や人間関係のトラブルをお酒に逃げたときに終わるね。「いいよね。今まで頑張ったんだもん、今夜くらい」で、一夜にして1～2kg増。その後はこれまたいつもの挫折感と屈辱感が来る。屈辱感というのは私の場合「やる」と騒ぐから、「またぁ？」という他人の視線に耐えねばならない。

ところが10年に一度くらい、もう一段深い挫折感に打ちのめされることがある。白分自身の内なるゴミが溜まりに溜まって息がつけない。こうなるとダイエットというより、着込んでいる肉じゅばんを脱ぎ捨てる儀式よ。それで40代半ばでは、ホテルの客室清掃を8か月して12kg減。50代は5kg減とリバウンドを何回か繰り返し、その気力すら失せていた60代になって『月曜断食』をしたら8ヶ月で11kg減。

そして64歳になった今は、「食べる量を運動量が超えたらやせる」という正論を知らないわけではないのよ。でもいつか私に山っ気の強いぴったりの「驚異の」「するする」「みるみる」に出会えそうな気がして、それが失望の始まりだとしても…。〝正論〟はつまらないもの。

第2章

人気のダイエット法もいろいろ

カロリー抑制型ダイエット

約70年のダイエット史のなかで
やはり食事は最も大切な要素です。
ここでは「カロリー抑制型」と、
「デトックス型」に分けてみました。

総論

「カロリー抑制型」といっても、理論的には「摂取カロリー」が「消費カロリー」より少なければ、現状より太ることはないのです。

この、「太ることはない」というのが曲者で、じゃあ、「やせるには…」というのが簡単に結論の出ない問題で、単純に「じゃあ食べなきゃいいじゃないの」ということに収まらないのがダイエットです。

とにかく、急に病的にやせるのはイヤ、やせてしわしわになるのはイヤ、できれば若無理なく…若々しく…、と欲張りさんの納得させるには、まずは「口からはいるもの」に対してのアプローチになるのです。

迷った時は
いつもとちがうほうを
選べばよいのです
おデブの自覚があるひとは
いつも選んでいるほうが
太るチョイスよ!
かきあげそば
or
ざるそば

朝バナナ

朝一本のバナナを食べて、おなかを満たしてから、というだけではなくカリウムが身体の調子を整えるんだって

「朝1本のバナナを食べると食欲が抑えられてやせるらしいよ」と言い出したのは万年ダイエッターの弟、山ちゃん(53)。さっそく台所の一角にフックをつけてそこにバナナひと房を吊り下げて毎朝食べていたの。

しばらくして山ちゃんに「朝バナナ、続けてる?やせた?」と聞いたら「続けているけどやせない」と言う。姉も同じ。

「ダメだよ、バナナ1本食べた後、普通に朝ごはん食っちゃ」って、こっちも同じ。そりゃあ、食べた瞬間はちょっとだけお腹が膨らんだような気がするけど、だからといってご飯を茶碗に半分でもオッケというほどではない。

要は朝ごはんに朝バナナを加えただけなのよね。でもこれ、不思議なことにやせはしないけど、太りもしないの。

そうそう。私の友だちに朝バナナで3kg痩せた友だちがいた。聞いたらひどい便秘

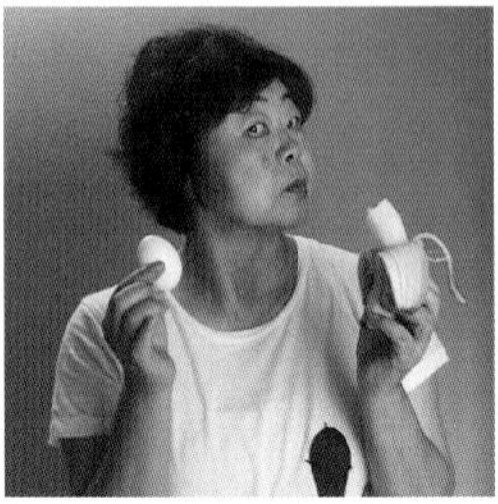

がバナナで解消したんだって。
バナナなんか食べなくても、毎朝、バナナ、バナナの
私には向かなかったのね。

朝ごはんをバナナにするだけ！
カンタン！バナナダイエット
カリウム↑むくみをとる
オリゴ糖↑お通じに
食物せんい↑
低カロリー
いいことばっかり！
バナナ、スゴーイ
キャー
Banana
エッヘン♥
果物の王さま!?
高校の頃
朝、時間ない時はバナナだったわ
今よりやせてますね
フフ
バナナ効果!?

バナナツリー♪

黒くなったバナナはバナナケーキにしちゃう
バナナ3本も使っちゃったよ
やせる気あるの？

夜トマト

朝バナナ食べて、夜はトマトって、毎日毎日ご苦労様です…って感じになりますよ

朝バナナなら、夜トマト。この組み合わせがちょっとだけマイブームになったのよね。夕食の前にトマトを食べると自然と夕食の量を抑えることができて、これで太めタレントは12kgもやせたんだって。

てか、これは私の実感だけどトマトって薄い即効力食品なのよね。お昼前に、ん？私、今日は元気じゃね？と思い、つらつら考えると朝、トマトを半分食べていたという感じ。それだけ身体の動きが良くなるのよ。いいことづくめ。

しかしだけど問題はその味。トマトほど口に入れたときに、うまい、まずいがはっきりする野菜もないと思わない？トマト好きな私でも、東京のスーパーのは一回は食べられても二回続くのは嫌だなというのがほとんどよ。やっぱりトマトは茨城産だなや。

しかし朝バナナと夜トマトと決めると、油断してランチにカツ丼、鰻重、カレーライス。もしこれで痩せたら？本気で自分の身体を心配した方がいいね。

夜、トマトを食べると基礎代謝を上げるんですって
リコピン15mgを毎晩とるようトマト2〜3コ分食べる
中性脂肪を燃焼させる!!
トマト料理は大得意!!
トマトスープ
トマトとにんにくをコンソメで煮るオリーブオイルをたらり。
消費エネルギーを増加!!
トマトカレー
あっさりしていくらでも食べられる
鶏ひき肉とトマトでトウフでかさ増ししてもグー
チキンカチャトラ
鶏ムネ肉でヘルシー
トマトダイエット…ていうかトマト料理がおいしいっていう話!?
夜トマトならいくらでも続けられるわ
おいしいし低カロリー
ミニトマトのピクルス
夜トマトは『夕食前にトマトを食べる』が正しいそうです
えっ?そうなの?
ハイ
←トマトのファルシーサラダ

コントレックス

要は硬質水って内臓にバリアはって、吸収を抑える効果がある。けど、かっこいいからってよく2リットルボトル持ち歩いてたなあ。

初めて海外旅行をした26歳の時。結婚2年目にギリシャ、トルコ、イタリア49日間の、貧乏旅をした。飛行機はソビエト時代のアエロフロートでアテネに行くにはモスクワの強制収容所みたいなホテルに1泊するしかなかったの。

夕食時、そこで出されたガス入りの鉱泉をひと口含んだ時の衝撃といったら、「水が合わない」とかそういうレベルじゃない。馬のナントカとはこういう味かと思うほどまずかったんだわ。

それがアテネのシンタグマ広場に着いたら、カフェのテーブルのあちこちに大きなボトルが立っていて、青い空に強い日差しの下で外国の若者がラッパ飲みしているではないの。ヒィ〜、カッコイイと身を振るわせた記憶が、硬質水ダイエットの流行で急によみがえっちゃった。

で、デカボトルを持ち歩いて「硬質水は内臓にバリアを張って吸収を抑える効果が

90年代 美人はみんな飲んでいた
やせる水 コントレックス
お通じよくなり
お肌ピカピカ
私もしばらく
飲んでたけど
ずっと続けてたら
今頃 超美人だったわ

あるんだって」と人には言ったものの、このマイブームは長く続かなかった。ラッパ飲みはスポーツジムでならさまになるけど、駅のホームで40女がやってご覧なさいって。走り込んでくる電車の窓に映った私は〝女の底値〟そのもの。ダイエットのためでは済まない投げやり感に、ゾッとしたのでした。

ゆで卵ダイエット

ゆで卵ダイエットは苦痛ゼロ。わずか1か月でスルッと3kgやせて、ほんと夢みたい！

きっかけはメンタリストDAIGOのYouTubeで、「毎朝、炭水化物を抜いて、ゆで卵を3個食べると、8か月で体脂肪が11%落ちるというアメリカの研究結果がある」と紹介していたの。カロリー制限は一切なしで、あらゆるダイエットに失敗してきた60歳から75歳までのやせにくくなっている人に向くダイエットなんだって!!それ、私！

さっそく、翌日の朝食はゆで卵3個になめこ煮をかけて食べた。どうなるか。ランチタイムになって食事をしてもいいし、食べなくてもいいかもと、なんともあいまい。夕飯になったらなったで、空腹感はあいまいなままなの。その後も夜はヘルシーな冷や麦のワンデッシュ盛りに鶏肉の照焼きをのせたけど、たいがいは野菜料理ばっか。これもゆで卵効果なのかしら。

1か月までは本当に苦痛0。それで体重がするっと3kg減ったのよ。5週間目にさしかかったある朝、ゆで卵の映像が浮かんだら「今日はいいかな～」って思う日があったの。

てっとり早く体重落としたい時の
ゆで卵ダイエット
固ゆでの卵2、3個を夕食とおきかえ
もぐ
もぐ
うーん3個が限界
プスゥ〜
もぐ…
おならがゆで卵の臭い
ハハハ
2日で1キロ減てとこかしら
ソレ
ぶんかもね…
たまごおならー
プスー
ヤメテ

64年生きてきた私が唯一、学んだことは、イヤなことはするな（笑）。いや、ほんとだよ。遠くから「イヤ」という心の声が聞こえたところでいったん止まったら、まだ先はある。これって、人間関係も男女もそう、

「この人、ヤダな」とぼんやり思ったら、ちょっと距離を置く。そうしたら人間関係のひび割れが決定的にならずに修復できるんだって。

ゆで卵3個になめこ煮をかけ、オニオンスープときゅうりの漬け物。卵に岩塩をぱらり。典型的な朝食のメニュー。

いかにしてゆで卵を
美味しく食べるか。
朝から知恵をしぼって
サラダのトッピング風に。

「○○を食べるな」という禁止が多いダイエット法と比べたら、天と地。ボソボソした食感が好きじゃなかったゆで卵だけど、慣れると親どりの味の違いがわかるようになって、料理のバリエーションも増えてくる。デザートに卵1個でプリンを作ると、10個入りが3日で消費するからいつでも新鮮卵。

ゆで卵との蜜月の後に、破局の予感？ 一度は乗り越えたのにとうとう別れの時が、、

なのでその朝は、普通の朝食にしたの。ご飯、みそ汁、納豆、きゅうりの漬物。そしたら翌朝はまたゆで卵。来る日も来る日もゆで卵3個の朝ごはんよ。ゆで卵の何がそうさせるかはわからないけど、とにかく、お腹が底支えされているというのか、空腹感が遠いんだよね。

「やせたね〜」

ゆで卵ダイエットを始めて5週間目に入ったら、きた〜ッ！2か月ぶりに会った30歳の政治記者女子から言われたの。体重はマイナス4kgだけど、腰あたりについていた肉の塊が薄くなってきたのよ。その証拠にスマホがスカートのポケットにスルッと入る。前はピンと角が飛び出していたから大違いよ。

身体が軽くなって、なんと原チャで千葉の道の駅まで買い物に行っちゃった。だけど予定していた2か月まであと5日になって、いきなりの大ブレーキ。どうやってもゆで卵が口の中に入らない。おならが硫黄温泉の匂いがしてきたんだわ。

こうなるともう自分をだませない。朝、目が覚めたら、カツ丼の甘辛いタレと、カリッとした衣。ジューシーな豚ロースの脂身が、これでもかというほど頭の中に押し寄せて、どうにも止まらない。気がついたときは、近所の『なか卯』のチケット自販機の前に立っていたわよ。自分をだますのって、ほんとに大変。

ゆで卵の味を引き立てるのは新鮮野菜で決まり。水菜やなすの油炒め、もやしのナムル、マッシュルームなどで和えて。ドレッシングは酢1、ひまわり油3、粒マスタード少々、塩胡椒の自家製。なめ茸煮をトッピングするとグッと食べやすくなる。

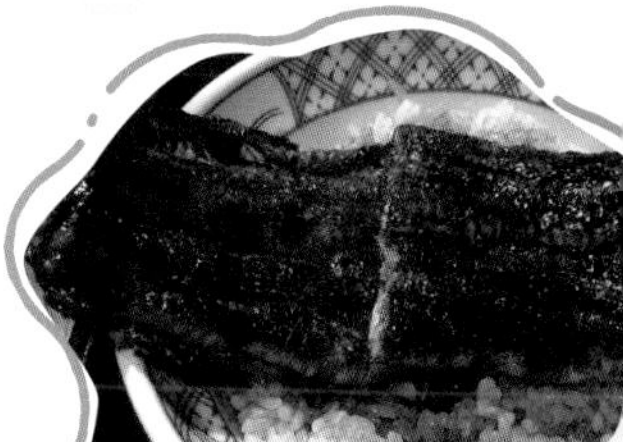

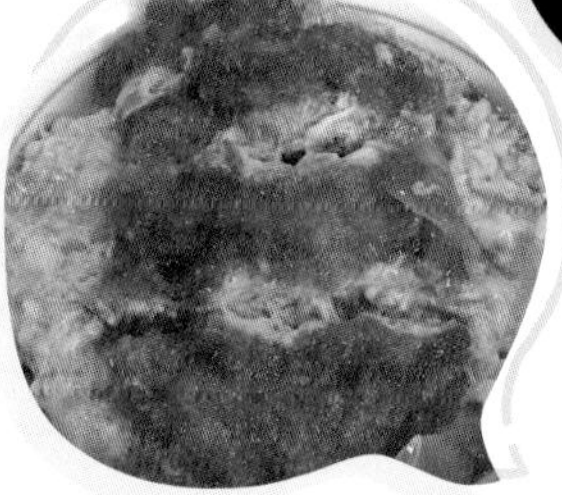

ゆで卵と縁を切ったら
鰻丼、カツ丼、寿司が
どっと押し寄せてきて、
制御不能になりました。

タニタ食堂

「体重測定器の会社」ってところがビビビッと来たんだろうね。

考えたら計量器メーカーとダイエットって関係がないといえばない。だけど頭の中でピン!と結びつくのがダイエッターなのよね。あそこがいうことなら間違いないと最初から信頼関係できているもの。

日々、1kgの上下動に一喜一憂している人の心を、正確な計量を作る会社が考えて、社員食堂で太らないメニューを提供したって、なんて美しいストーリーなんでしょ。がしかし、そう思う私は前を向いているときの私。体重計に乗っているときの私。その私がある日を境に体重計には見向きもしなくなり、やせるメニューはまずいと決めつける。運動?コロナ禍でジム閉まっているしなぁと、あくまで後ろ向き。うふふ。

この世をすねた感じ、悪くないのよね〜。

そんなダメダメが堆肥のように積もって発酵して、ドカン。こんな自分、ああ、もうやだ。もう我慢できない。ああ、チクショー、生まれ変わってやる! つまり圧縮と爆発で動くエンジンみたいなダイエット人生を送ってきた私のために、「やっちゃえ、ニッサン」。乗るとやせる自動車とか開発してくれないかしら。

タニタ食堂レシピ本
買いました
作ってみました
基本は500キロカロリーの献立
豚肉のオイスターソース定食
盛りつける量も少なくネ☆
ごはんはお茶わん半分
うーん…物足りない
ちょっとだけチーズ増量
ちょっとだけごはん多め
おみそ汁ちょっとだけおかわり
サバ缶グラタン定食
手作りならデザートもOK!
かぼちゃタルト
ナスとオクラみそいため定食
けっこういいじゃないタニタレシピ
・・・・・

お!デブかスリムか!?の別れ道
Ⓐ
いちごシェイク
or
Ⓑ
ブラックコーヒー
いちご♥
A
あなたはどっち?

第2章

人気のダイエット法もいろいろ

デトックス型ダイエット

「デトックス」って、
悪いものを身体から
追い出すイメージが効果的。

総論

もともと、「デトックス」とは諸説ありますが、食べ物から摂取した毒素（アルミニウムや鉛や水銀、カドミウムなどの主に金属物質）が肝臓や、腎臓、腸などの働きを邪魔するため、取り除いて本来の健康で正常な働きに戻そうという動きなのです。

なので、もともとの食べ物に気を遣えば…ということになるわけですが、そう簡単ではありません。なので、入ったものを追い出そうと、「追い出し」してくれる食べ物を食べたり、汗や尿や便などで、自然に排出するのが、ドクをためない方法というわけです。

このごろは「心のデトックス」や、「お部屋のデトックス」などという使われ方もしますが、これらもなんだかダイエットにつながっているようにも感じます。

ダイエット中に
となりで おいしそうに食べられる、という苦行

マイクロダイエット

毎日3食食べる、その1食を置きかえるだけ。それだけなのに…秘密にする理由…

これに手を染めるときは遊びじゃない。本気中の本気で、ほとんどの商品は一定の効果が上がるし、私だって何度か頼ったことがある。だからどこのドラッグストアでも大きな売り場面積を占めていて、前を通ると足を止めそうになるのだけれど、たいがいは素早く通り過ぎてしまうんだわ。

なぜか。「私はただ今、置きかえダイエット中です」と言う人と会ったことがないんだわ。こっそりやって、キッパリと結果を出して、「やせた？　そうかな。何もしていないんだけどな」とスッとぼけるのが正解。てか、下手に人に話すと身体に悪いとか、何とかジャマが入ってやりにくい。不言実行。これしか道はない。

そんな孤独に耐える根性がありやなしや。そんな刃を自分に突きつけたくないから、売り場で目を逸らせてしまうんだよね。

冷やし中華
はじめました
わたしもそろそろね!
上着を脱いで!!
夏のよそおいに!!
脂肪も脱いで!!
スラッと!!
……とはいかないから
ダイエット
はじめました
マイクロダイエット
晩ごはん置きかえダイエット
これならラクにやせそう
フッ
甘いな

炭水化物抜きダイエット

「炭水化物」がこんなに嫌われるなんて、(泣)
「お米の国」なのにね

男性のダイエッターはやることが極端。だから手っ取り早く効果を出したいときに話を聞くの。

デザイナーのSさん（45歳）は身長180㎝のガッチリ体形で、〝大きな人〟という印象なのに、先日、ふと見ると後ろ姿が別人。驚いて「やせた？」と声をかけたら「10か月で30kg減りました」と言う。痛風で10年前から健康診断のたびに尿酸値が高いと指摘され、体重も急上昇。とうとう103kgになって一大決心した。

何をしたか。炭水化物抜きをした。セブン・イレブンの『1日に必要とされる野菜1／2が摂れる鶏団子鍋』（153kcal）を3食。朝はおにぎりといっしょに。昼は野菜サラダ、鶏のから揚げを添えて。夜の定番は『サラダチキン』（125g、100gあたり105kcal）。夜中にお腹が空いて目が覚めたときは、ゼロカロリーのコーラをガブ飲みしてお腹をごまかす。それで1食500kcal前後。

「お腹が空いてどうにもならなくなるとおにぎりを食べる。結局、ダイエットは自分との戦いで、対話なんですよね。これ以上、がまんさせたら反動が恐いから、少しだけ甘やかす。逆にここでハメを外させたらダメになるとか、自分のなだめ方、ごまかし方をどれだけ知っているかが成功の決め手です」

Sさんの話を聞いてから私は、夕飯は炭水化物抜きで、毎日お腹を空かして寝ている。甘いものは1日1個だけ。お酒は350mlの缶1本。あれが食べたい、これも食べたいという雑念が浮かんだときは、Sさんの「まずは1週間。それを超えると楽になるから、まずは1週間続けるのを目標にして」と言った言葉を思い出している。

おまけ

赤ちゃん茶わんダイエット

「てんこ盛りの山ちゃん」。私をこう呼ぶ夫人がいる。山ちゃんは私の旧姓が山崎だからで、新宿の喫茶店でアルバイトしていた20歳の私にビルのオーナーでもあるGさんは、「ご飯は好きなだけ食べて」と言ってくれた。厨房の男子はライス皿に山を作った。それをぺろりと平げていたのに若いウエイトレスの私は太らなかった。

この記憶がカンレキを過ぎた今も残っているのかしら。ダイエット中でも茶碗の底が透けてご飯を盛るとたちまちひもじくなる。

「そういう人が絶対にやせる方法がある」と、親切な友達が〝お食い初めセット〟のようなお茶碗と小皿をくれた。やりましたとも。肉じゃが、おひたし、プチグラタンをポチッとずつ。ご飯は大盛りにしてもお寿司2かんくらい。友達は「食べる前にさあ、これからこんなにいっぱい食べるんだと目に焼きつけてね」と言う。これが脳内の満腹中枢をごまかすテクニックだとか。その通りにした。なのにしだいに頭の中は年に数回いく懐石料理店の料理でいっぱいになり……。貧しくて空腹な青春を送った人間を刺激すると、大暴食、大散財に走るというお粗末。

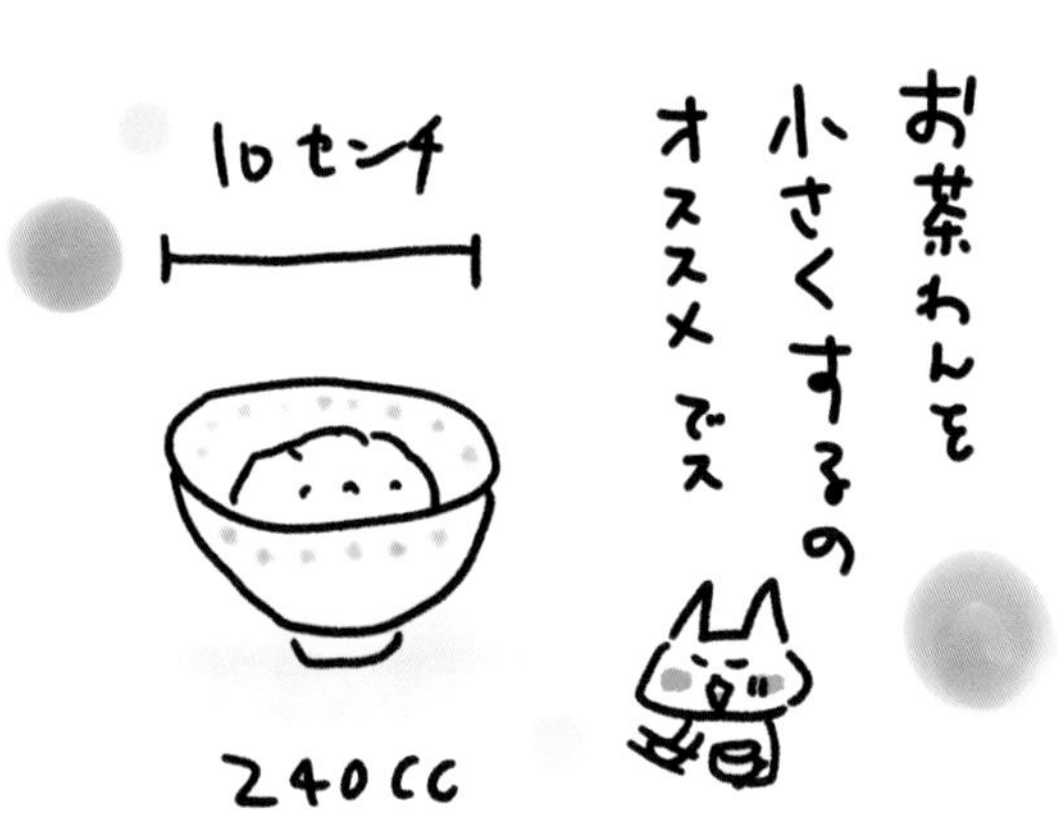

10センチ
240CC
お茶わんを小さくするのオススメです

おまけ

プチパフェダイエット

どんな奇怪なダイエットでも、糖質を取りまくれ、なんてものはない。糖質こそ悪魔。いかにして糖質や炭水化物を制御するか、あの手この手だ。できればキッパリと縁を切りたいけれどそれでは身体がいうことをきかない。なら、ちょっとだけ与えて、小さな満足をあげたらいいんじゃね？ってなんの話よ。

だけど、このいじましいプチ作戦はかなり有効でね。今では考えられないけど私の高校時代は、清らかでない男女交際は〝不純異性交遊〟といって、親が学校に呼び出されたりしたの。だけど、そんな焼印を押された高校生はどうなるよ。不良になるしかないじゃない！

それより、基本的には禁止だけど、裏の戸はちょっとだけ開けておく。小さなズルは目をつぶるという大らかさが大事。そうでないと身体のうずきは次第に大きくなって、ああ、もう私なんかもうどうなってもいい。甘い誘惑に応えちまえ、おねがい、もっと！って、なぜか糖質制限の話になると、あらぬ想像ばかりふくらむのよね。

いずれにしても「ちょっとだけよ」は守らないと元の身体に戻れなくなる、いや、戻ってしまうから気をつけてね。

ダイエット中だから
パフェは小さいのをチョイス☆
←ミニパフェ
季節限定の
いちごパフェは
食べとかないとネ
ダイエット中
なのた？

天草ダイエット

天草から作ったところてんを最高においしく食べるには…

コンビニのレンチン鍋を3日食べたらその反動で、手作り欲がむくむくと湧いてきてね。ところてんも作っちゃった。

天草と水と酢を少し入れて45分煮る。布巾でこす、冷やす、以上。私の性格上、これを「低カロリー食だから、食べろ」と体に命令すると猛反発。作っただけで食べない、なんてこともしかねない。

そうではなくて、「これはうまいぞう。作りながら海の香りがしただろ？ それとつるつるっとしたのど越し。たまんないねぇ」となだめて、すかして。人から見たら、「大丈夫か、おいっ！」の自作自演だけど、なりふりかまっちゃいられないって。

で、実際、天草から自分で作ったところてんは正真正銘、うまい！ 天草の煮汁を絞って作ると、海藻のいい味がするんだわ。最初は角切りにして食べていたけど、インターネットでところてんつき器を買ってついたら（ところてんは〝つく〟っていうんだね）、

まあそののど越しのいいこと。つるつる、つるつる、いくらでも入る。なんたってカロリーはほとんどゼロ。夜、寝る前だって、いくら食べてもいいわけよ。

結局、私のような食い意地が張っている女が結果を出すには、おいしくてたっぷり食べても太らない食べ物が、身近にどれだけあるか、なんだよね。

ところてんを
100gあたり
たったの2kcal!!
ごはんのかわりに
食べてやせる!!
キラキラ
まずは
酢じょうゆで
いただいて
次に
おだしかめんつゆで
おだし
イケル!!
シメは
黒みつきなこで
デザートね
おかわりいただくワ♥
うまー
ちゅるるん

オニオングラタンスープ

自分で作るのが手間な時は、レトルトやファミレス、コンビニも利用して

デザイナーのSさん（45歳・男性）から、10か月で103kgの体重を69kgにしたと聞いて、すっかり刺激された私。

で、さっそくマネしたわよ。3日間、1日2食、レンチンの鶏団子鍋を。これがなかなかの味でね。「えーっ、ほんとにこれで153kcalなの〜？」と疑いの目を向けたくらいの満足感。だけど、それも2日間。3日目には、無理やり食べている感じ。味はおいしいのは確かなんだけど、同じ味が続くと体が拒否しだすんだわ。これまでのダイエット失敗の原因はみんなそれ。

「ダイエットは自分の性格を観察することが大事」

「ダイエットは、上手に自分をごまかすこと」と言う。その言葉をかみしめて思いついたのが、〝オニオングラタンスープ〟よ。これ、若い頃、男を家に引き入れたときには必ず作っていたっけ。15分、玉ねぎを炒める覚悟さえすれば、低予算で見栄えが

して、ちょっとおしゃれ。それで男から「へ～」とか「ほ～」とか言われた気がするけど…そんな昔話はともかく。

ネットで調べたらこのスープ、上にパンをのせても200kcalくらい。そりゃそうよ。玉ねぎを炒めるオリーブオイルとにんにく少々。あと固形コンソメと、塩コショウ。チーズとパン少々。高カロリーになりようがないし、レンジで焼くから、熱々！ ふーふーしながら食べてると、体がぽかぽか温まってくるし、何しろ早食いができないのがいいわ。

酵素ダイエット

生野菜の酵素を取り入れる「スムージー」もブームでしたがやはりサプリでとるのが便利

酵素とは何か?正直、その説明を何度聞いて「わかった!」とヒザを打ったことがないけれど、思い出す人ならいる。とある会社の会長秘書をしていたときのOさんは、都心のお嬢さま校卒の品のいいスポーツ系奥さまで、これといった印象はなかったの。

それから7年の歳月が流れ、私は2度の引っ越しをしたら「野原さん?」と呼び止められた。スーパーのレジで並んでいたのよ。その時の彼女がピカピカで前よりずっと若く見えたの。これ、50過ぎたらまずないこと。

「どうしたの?」と聞くと、「ちょっとお時間、いただける?」とOさん。改めてランチをしがてら紹介されたのが、アメリカ製のベリー酵素だったの。

3本セットで2万7800円。朝晩、ショットグラスに1杯ずつ飲んで3か月で明らかな効果が現れるというの。

はい、清水の舞台から飛び降りて3本セットを買って飲みましたとも。なのに私は一度も「若くなった」とも「やせたね」とも言われなかった。Oさんももう強くは勧めなかった。

あれから何年かたつけれど、Oさんのきれいは変わらない。やはり美は金なのかしら。安い酵素ゼリーをチューチュー飲んでいた友だちは全敗でいつの間にか酵素のコの字も口にしなくなった。

あずき水ダイエット

月刊健康誌が、これでもか、これでもか、とあらゆる材料でアプローチしてくる

あずき水ダイエットの効能は、念が入っているよ。あずきに含まれているサポニンという成分が腸の脂肪の吸収を抑え、赤ワインの2倍のポリフェノールが糖の吸収も穏やかにする。ビタミンB群は肌の新陳代謝をアップさせて、亜鉛が爪や皮膚を美しく保ち、カリウムは余分な水分を体外に出すからむくみ予防になる。これだけでもたいしたものなのに、あずきの鉄分はほうれん草の5倍以上。矢でも鉄砲でも持ってきやがれ、でしょ？

やる気満々で、炊飯器にあずきを100gと、お水を内釜に入れられるだけ入れて、スイッチオン。夜に仕掛けておくと朝までに濃いめのあずき水ができ上がるから、それに水を加えて1500mlにする。濃いままを飲んでもおいしいけど、いい気になって飲んでいるとお腹が緩くなるから気をつけてね。で、私はこれで2ヶ月で6kg減したよ。なのになぜやめた？それは聞かない約束よ！

あずき水ダイエット
あずき茶のティーバックで手軽にあずき成分♪
あずき水みたいなもんよ
♪~
でもティーバックじゃやせ効果はイマイチ
あずきの味あんまりしない
手軽にやせる術《すべ》はなし!!

第2章

やっぱり動け！

運動系

ジーッと座ってDVD見ながらポテチ…
なんてサイコーなのだけど。
身体は動かさないと動かなくなる。

総論

「消費カロリー」が「摂取カロリー」より多いと、「太らない」というのは、カロリーに関してだけ、頭で考えたダイエット。

しかし、大体の人は起きて、顔洗って、出かけて、そして寝るまでにあらゆるところで身体を動かしています。つまり、消費カロリーをわざわざ作り出せば、当然ダイエットになるというわけ。世の中の人、みんなわかっているけど、できない…なぜ？それは、いかに「楽しく効果的に」身体を動かすことがポイントなのです。

自分を知ること
むむ
太った!?
プニ
プニ
測りましょう
体脂肪計

バレリーナダイエット

大人になってまたバレエを習うという人多数。発表会なんかがあると目標ができてうれしい気が。

ダイエット企画、最大のハイライトはなんたってパリ・オペラ座のエトワール、ドロテ・ジルベールさんから直々にバレエエクササイズをご指導いただいたことにつきるわね。つい先日、アルバイト先の議員会館で仲良くなった霞ヶ関の女性官僚と何かの流れでドロテ・ジルベールさんの名前を出したら、「えっ?」と言ったきり固まられちゃった。「なぜそんな世界的なバレリーナと……」とこの句が告げない様子。実はドロテ・ジルベールさん監修のフィットネスDVD『パリ・バレエ・フィット』の日本発売に合わせて、「二の腕やせエクササイズ」をレッスンしていただけることになったの。

しかし彼女と並んでスタジオの大きな鏡に映ったときは、これは何かの間違いだと思ったね。〝世界の白鳥〟と〝茨城のガチョウ〟が奇跡の競演……って、そんなもんじゃない。時空が歪んで見えたわよ。

ドロテさんの背中を見たら、小さな筋肉がびっしり。バレリーナって、アスリート以上にアスリートだったのね。普段の生活で気をつけているのは、「公演の間、アルコールは眠りの質が悪くなるので飲みません」「食べ物はフライにした甘いものは食べません」と、これは私たち中高年のダイエッターには参考になりそう。あんドーナツ、厳禁！

「いままで、太ったことはないんですか？」と聞くと、「てへへ」と人のいい笑顔で、「バカンスの間はまったく踊らず、飲んで食べているので、2〜3kgは太ります。でも3kgが限度ね」だそう。ああ、世界的バレリーナになんてバカなことを聞いたのかしら。

バレエ エクササイズで ほっそり!!
プル プル
二の腕
プル プル
わき腹
プルン プルン
おしり
プルプルプル
プル
プル
いろんなところがもうプルプル
姿勢よく立つだけでキレイがアップよ!!
姿勢キープするの むずかしいワ
ねこ背!!
バレエまんがが
トゥシューズに画びょうが!!
ドキ ドキ
子どもの頃 バレリーナに 憧れてたのよね

ボクササイズ

シャープな身体、ストイックな食生活…
すぐに効果が出そうだけれど。

東京、千代田区スポーツセンターのクラブ会員になって3年目。初めてトレーニングルームへ入ったら、あら、インストラクターの若い男子がいるじゃないの。で、いいとこを見せたくてボクササイズをしてみたの。実はバブル全盛期に週3回、銀座にできた女性専用のボクササイズジムに通ったことがある。

準備体操をした後、縄跳びで3分間跳んで1分休み。これを3〜5回繰り返してからリングに入って5ラウンドのミット打ち。脇をしめて腰を入れ、ねじりながら打つべし、打つべし。パンパンパーンといい音がするのよ。

体重は6か月で6kg減だったけど、身体が見事な逆三角形になって、太ももも細くなって、ひざかけのねじり足組みができたんだよ。

だけど当時の彼は冷ややかだったなぁ。「一生続けられないような運動はすべきじゃない。やめたら鍛えた筋肉が全部脂肪に変わる」と言うの。この言葉だけは全く正解

だったと30年以上たった今も思うわ。ちなみに彼は「やるなら剣道」だって。剣道って365日、1日も休まず稽古するんだってね。食い散らかしの私とは、まったく別人種だったんだわ。

やせるまで
打つべし
コスプレ
打つべし!!
打つべし!!
打つべし!!
ふう
がんばった
ごほうびの一杯
がばー
ビール
あしたもがんばっぺ!!

スクワット

橋田壽賀子先生も、森光子さんも亡くなる直前まで続けていました。

都心の駅は、「インフラ整備」とかいって地上とホームを上がり降りするエレベーターかエスカレーターがある。だから階段は「ダイエットするならこっちだよねぇ」と思いつつも、脚が「や〜だよ」と素通り。特に、大荷物の日は「登るな・キケン」と逃げる。それが、ここ4、5日前から上りも下りも、「行くか」と脚が上がるんだわ。思い当るのは、毎日欠かさずしているスクワット。体操教室でコーチをつかまえて、「これでいいんですか？」と何度か姿勢を見てもらったの。

ヒザをカクンと小さく曲げて伸ばすだけだと、どこの筋肉にも響きやしない。かといって、〝和式トイレにしゃがむ、立ち上がる、しゃがむ、立ち上がる〟をくり返すと、数回でギブ。筋肉がつく前に、病院行くことになりそう。

で、絶対に守るべきポイントは、最もヒザを大きく曲げたとき、ヒザの先が、つま先より前に行かないこと。そして両手を前に伸ばして、後ろの椅子にお尻から腰かけるつもりで、1、2、3、4でヒザを曲げ1、2、3、4で、立ち上がる。「このとき、体の中心に力を集めるように下腹からお尻の穴を閉めるように」と、コーチ。スクワット10回は腹筋500回に匹敵なんだって。

スクワット、続けりゃいいとわかっちゃいるけど
ヒザがカカトより前に出ないように
1日た3回もできないよ地味すぎてあきる
こういうのを続けられるひとはとっくにやせてるよね
続かないからデブなのよ
続くひとはデブ失格!!

ヨガ

「痛気持《イタきも》ちいい」くらいが理想。呼吸法を身に着けたら怖いものなし…（らしい）

私がヨガの力を知ったのは、40代後半に通ったスポーツジム。細くしなやかな体の女性のインストラクターの「シャバアーサナ」（死体《しかばね》のポーズ）という体の力を全部抜くポーズにたちまち魅せられたの。

私たちがヨガマットの上で大の字になったら、スタジオの照明を落として、催眠術師のような口調で、「気持ちよ〜く力を抜いて〜」。気がつくと隣から「ぐおお〜」というびきが聞こえてきて、「あらら」と思っている私も、インストラクターの声がどんどん遠のいていく。

それが、そのうち引っ越しやら何やらでヨガどころではなくなり、再びヨガ熱に火がついたのは9歳年上のK子さんから、「2か月間、まったく練習してなかったのにゴルフで最高のスコアが出たよ」と弾むようなラインが入ったこと。

それだけじゃない。K子さんは、「ちょっと見て」とおもむろにワイドパンツのウエ

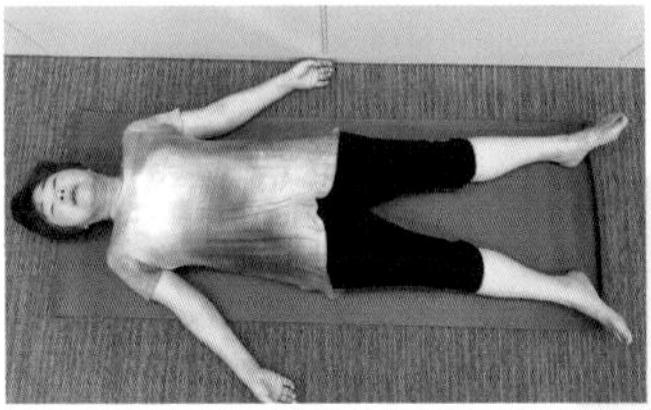

ストに手を入れた。「これ、25年前のよ。ここ数年は、微妙にウエストがきつくなっていたのに、ほら」。手を何度も出し入れして、「ゆるゆる」を強調するのよ。

ヨガはそこいらのエクササイズとは歴史が違う。体をだますのがうまいな〜と、いつも思うんだよね。呼吸から初めて、ゆっくりと体のあちこちを動かしながら、気がついたときは、「何だ、こりゃ」ってビックリポーズをとっている。で、終わるとスカッ。そのたびヨガ発祥のインドという国に敬意を持つのでした。

か…かたい
む…むり!!
ネコのポーズ
のび〜〜
ヨガのあとは
お水のんでね
ふう〜
ほぐれた
ほぐれた

第2章

やっぱり最後は
コツコツ日常生活

わざわざ運動、とかめんどー、
好きなもの食べたい!なんていう
ワガママものは、日々の生活から
見つけていくしかない!

おまけ

風船、口笛、歯磨き

風船を膨らますだけ、口笛を吹くだけは吐く息で横隔膜が上がり、内臓脂肪に効く。

歯磨きダイエットは歯を磨く2〜3分の間に内転筋引き締めや、かかと落としなどを加えて一石二鳥を図る…

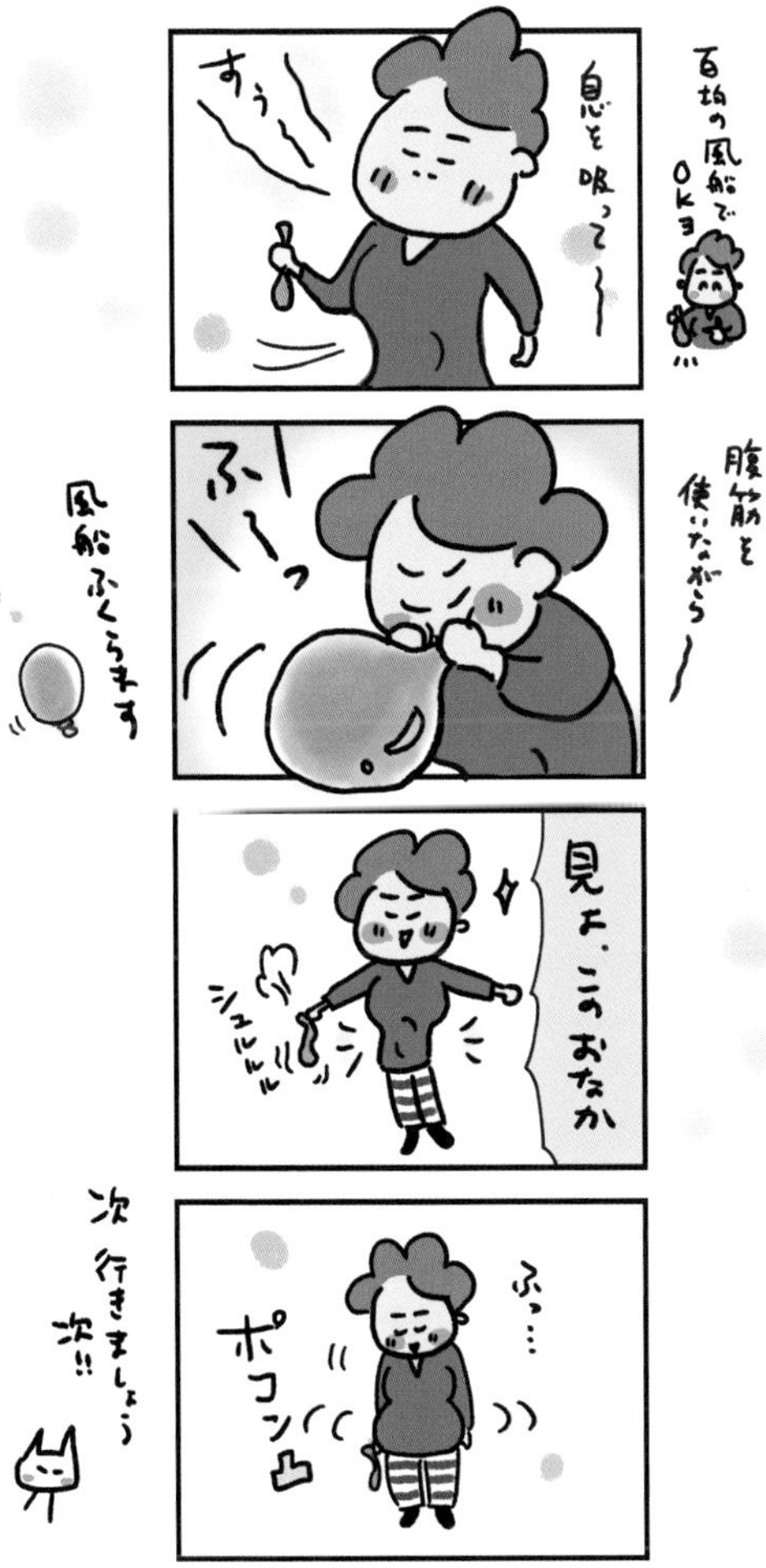
百均の風船でOKヨ
息を吸って〜〜
すぅ〜〜
腹筋を使いながら〜
ふ〜〜っ
風船ふくらます
見よ、このおなか
シュルルル
ふっ…
ポコン
次行きましょう
次!!

口笛ダイエット
口輪筋をきたえて
小顔に!!

食べるまえに、はみがきダイエット
ついでに
内ももにペットボトルをはさんで
お尻をキュッ☆

ウォーキング

高い靴は、歩きたくなる靴！足首までのホールドで、ラクにどこまでも歩きたくなるウォーキングサイコー。

なんでも形から入る私。歩くには靴でしょ。自分に合う歩きやすい靴が欲しいとせつに思うようになったのは48歳のときよ。スニーカーだと20分くらいで足裏の、土ふまずと中指の中間あたりがジンジンと痛くてどうにもならない。それでも脚を引きずりながら歩いていたら、今度は腰まで痛くなってきた。

そんなときよ。地味な住宅地の、地味なビルの1階で「免震 中敷きウオーキングシューズ」という文字を見つけたの。どんな靴か聞けば、分厚くて反発力のある中敷きを私に合わせてその場で作ってくれて、数週間後にまた歩きぐせなどを中敷きの皮の擦れ具合で見て微調整をしてくれるという。

「試しに」と勧められて履いたとたん、うんもすんもない。お買い上げ、決定！で、いくつかのデザインの靴を買ってはいた結果、本気で歩こうと思ったら、足首が包まれているショートブーツの履き心地が極めつきだね。だから、「いい靴、ないかしら」

と聞かれると、自分の足を突き出して靴を見せ、「それなら『えこる』」と迷わず即答。値段は3万円弱から4万円弱と、決して安いものではないけれど、履くと納得。歩くと2足めも、3足めも欲しくなって、私の親戚、友達、友達の家族…。店の回し者よろしく、いったい何足、何人が買ったことやら。

あれから16年たつけど、いまも当時買った靴を手入れしながら履いているもんね。この靴を履くと、「よしっ」と足が前に出るんだわ。

この靴を履いている人と電車の中で会うと、どちらからともなく黙礼しているというのも愉快よ。

耳ツボ

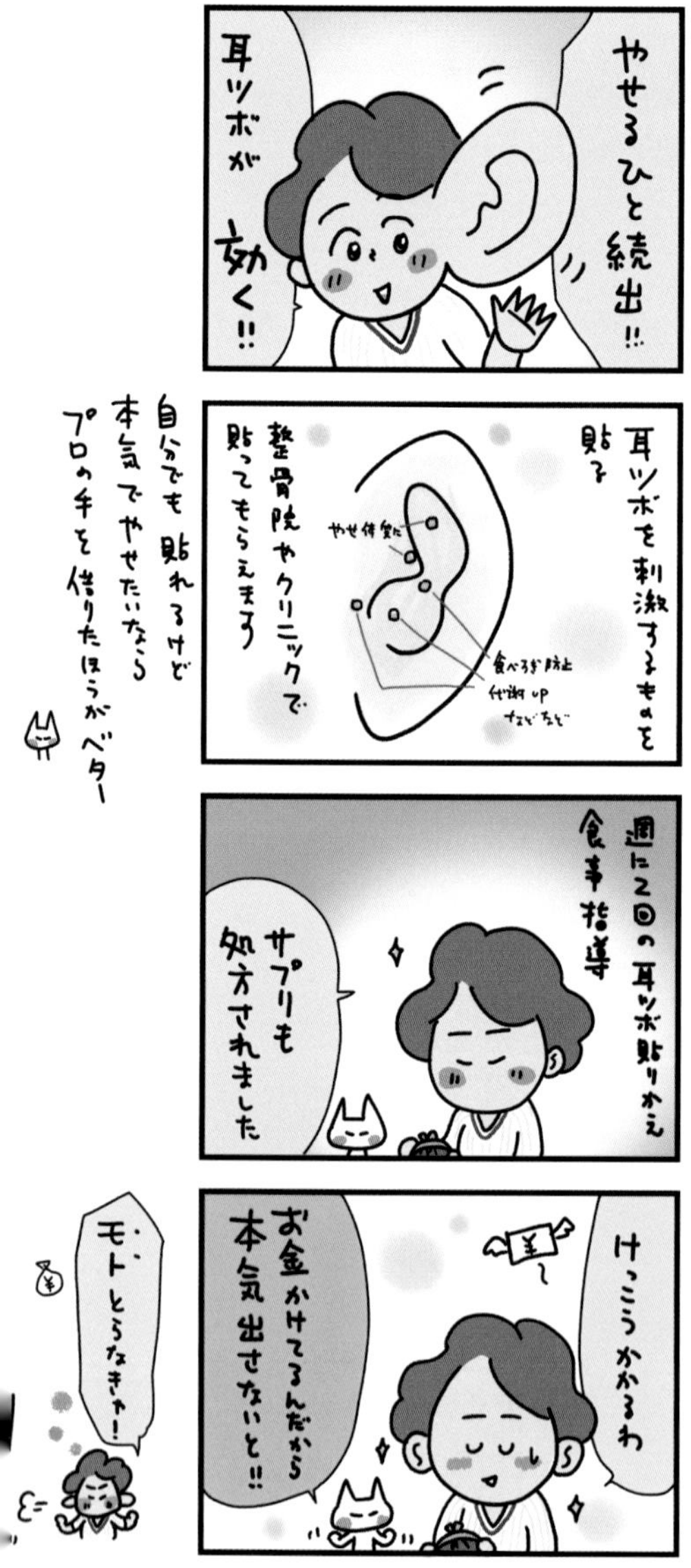

やせるひと続出!!
耳ツボが効く!!
耳ツボを刺激するものを貼る
整骨院やクリニックで貼ってもらえます
やせ体質
食べすぎ防止
代謝UP
などなど
自分でも貼れるけど 本気でやせたいなら プロの手を借りたほうがベター
週に2回の耳ツボ貼りかえ 食事指導
サプリも処方されました
けっこうかかるわ
お金かけてるんだから本気出さないと!!
¥
…モトとらなきゃ!

耳ツボ 3週間で 5キロやせたよ
耳ダンボ
まじっ

耳には左右で約350個もツボがあって、内臓の機能と関連しているのです。その中で、特に注目されたのは「食欲を抑えるツボ」。いつでもどこでも、つまようじやボールペンの先でポイントを押すだけ。ただその小さなポイントを間違えないように。

洗濯バサミ

こちらも頭にあるツボへの刺激を、おうちにある洗濯バサミで与えようというもの。手軽ではありますが、「なにしてるの？」と家族に尋ねられた時は気まずい。ダイエットに限らず、15分後洗濯バサミを取った後、気持ちいいことは保証します。

笑うダイエット

口角を上げて声に出して笑うというのは免疫力も上がるそう。

「何だって?笑うだけダイエットなんて笑わせるんじゃないよ!」と、最初に聞いたときは私、怒りました。笑ってやせられたら苦労しないって、と。

でも、能書きを読むとなるほどね。体脂肪を落とすほどの笑いは、クスクスやケタケタやウフフじゃダメなのよ。

「あ〜はっはっは、イ〜〜ヒッヒ」とメリハリつけて、周囲からドン引きされようがかまうもんか。1回1分ずつ、6回以上大笑いするとより効果を実感できるんだってるんだって。

「ひぇ〜っ、お腹痛いよ〜」というまで笑うと腹筋が鍛えられるだけじゃない。世の中、バラ色になるドーパミンを分泌したり、過食の原因となるストレスホルモンを減少させるというんだから笑い事じゃないわよ。ほら、笑って!やせるんだから、笑お!は、は、は。だんだん悲しくなってきたよ。

笑って インナーマッスルを 鍛えて やせる
Smile
ニコッ
ノンノン
お腹がよじれるくらい 大笑いしないと
わーっはっはっはっ
血流がよくなり エアロビと同じくらいの 運動効果があるのよー
キツイわ
やせるほど 笑うって…
でもさ 大笑いするようなことって めったにないわねぇ
箸《はし》が転んでもおかしかった 遠い昔…
ギャハハハ
そうね
ま、ニッコリするだけで 免疫力が上がる らしいし
ぽうっ
ぬん
ゴロ
ゴロ
クス
笑うのだいじね
笑顔は口元のたるみにも 効くらしいよ
とにかく 口角を上げるべし!!
コレコレ たるみ
鏡に映る真の姿、こわいわー
笑顔の形状記憶!!
ニコッ
しあわせホルモンも 出るんですって♥
ニコッ

推しメンダイエット

見られている気になると、恥ずかしい！ いやだ、この身体じゃあカレに会えないわ！

これまで誰かのファンになったことのない人生だった。みんながひろみ、秀樹、五郎と騒いでいるとき、私がいいなと思っていたのは作詞家のなかにし礼さんだもの。口にしたら最後、同級生からどんな目で見られるか。

上京して2年目、19歳で芸能プロダクションの1階でバイトを始めてからは、テレビの中の人だと思っていたアイドルがカウンターで焼きそばをすすったりして、夢も希望ありゃしない。

そんなわけで「キャ～ッ」とは縁がないものと思っていたら、一昨年の秋のこと。ひと回り下の酉年女、Yちゃんがうちにきて、「最近、カラオケ100点おじさんばかり聴いているんだ」と目尻を下げながら、私にYouTubeの動画を見せてくれたの。

カラオケ100点おじさんこと、佐々木淳平氏は、帝国劇場のミュージカル『レ・ミゼラブル』や『ミス・サイゴン』に出演している本格シンガー。で、歌を聴いたら、

故・なかにし礼さんにインタビュー。記者になって初めてサインをねだった。

まぁ、うまいのなんの！それからすっかりファンよ。今の言葉でいえば推しメン？　先日はYちゃんと一緒に新国立劇場のオペラに付き合っていただいたの。

Yちゃんと私はさあ、大変。何を着ていくか、どっちの服がやせて見えるか。化粧は濃くないかと、思う存分、女子全開！こういう時間がどけだけ心身を活性化させるか。カンレキを過ぎて私は初めて知ったのでした。

お部屋片付け

ダイエット番組では必ず「まずお部屋を片付けましょう」と。脳内整理ができると部屋が片付き、やせる…というメカニズム

30歳で初めてスポーツジムに入会した時、徹底的に身体測定をしたのよ。そこからプログラムを編み出したんだけど、今も忘れられないのが、備考欄に書き込まれた私の課題。なんと「日々、身体を動かす時間を増やしましょう」と書いてあったの。「これはどういうことですか?」とインストラクターに聞きにいくと、「ああ、これはですね。こまめに身体を動かすことが苦手なのが、脂肪のつき方でわかるんですよ」だって。口にこそ出さないけど、「掃除、苦手でしょ」と言われたのよね。

もう、身体つきでバレちゃしょうがないわ。料理も裁縫も大好きだけど、後片付けと掃除、大嫌い。作る方には熱心だけど、使ったら使いっぱなしは子供のころからのこと。一時はとんでもない汚部屋の住人になったこともあった。

でも、あと数年で還暦というある日、わかったんだよね。チマチマと掃除をしようとするからイヤになるのよ。だけど磨こうとするとがぜん、身体が動く。

まずは脱衣所の床の雑巾がけ。それからわざと大きく動いてお風呂掃除。蛇口をピカピカに磨くのも楽しいよ。

一点突破、全面展開。汗をかけばかくほどお部屋も私の身体もスッキリ！

やせられない人は部屋が片付けられないって
ホントかしら？
……
そうね…
あ〜コレは捨てられないわ
アレもコレも思い出が
片付けましょうよ
セルフコントロールができるかできないか!?
昔のアイドルの写真集
自己管理、それができてりゃとっくにスリム
処分しましょう

洋裁にはまる

世界的デザイナーにデブがいないのは、洋服を作るときはきちんと採寸してからジャストサイズで作るから。

測定ダイエットほど非情なものってあるかしら。暴飲暴食をした後で、体重計にのる度胸があるかないかが、デブとスリムの分かれ道。わかっているんだけどさ。メンタルの弱い私は、あまりにひどい体重を見ると、開き直ってもうワンランク上のデブになる危険があるんだよ。それで今日はいいや、明日にしようと1日伸ばし。

測定といえば、思い当たることがあるの。私の洋裁の師匠も、その仲間も、洋服を作っている人で太っている人っていないんだわ。そういえばココ・シャネルだって、ケンゾーだってそうよ。世界的に有名なデザイナーにデブ、いないでしょ。

そういえば私も本気で洋服を作っていた頃は、今よりずっとウエストとヒップのサイズに敏感で、必死に食事制限をしていたもの。太り出したのは洋裁から離れて、バッグや小物を作るようになってからよ。

久しぶりにスリーサイズ、測ってみようかな。

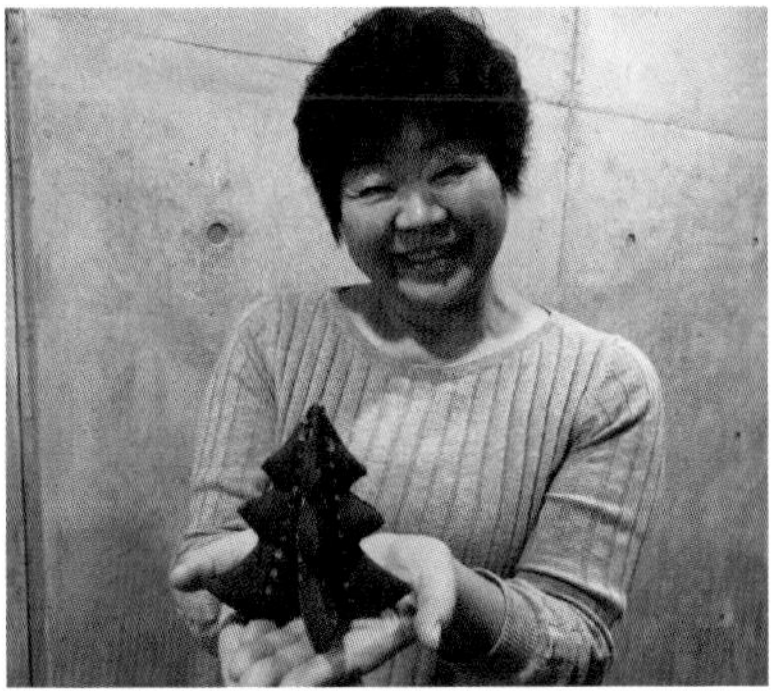

第2章

やはりハート♡

精神力勝負ダイエット

身体ばかりではなく、
心もスリム（シャープ）で
いたいもの。

総論

身体と心が深い関係にあるのは、頭ではわかっているけど、人間の欲はどうしてもセーブが効かない。でも、人間、太っているから、やせているからだけではなく、心から、美しくありたい…なんて、きれいごとですかね？

ダイエットって、チャレンジする気持ちや、ある程度やせたら、達成感がある、そういう経験の積み重ねが、人間を、ひと回りもふた回りも大きくするんじゃないの？と思います。まあ、身体も大きくなっては困るんですけどね。

ダイエット前に
食べ納め
明日から ダイエットだから 今日のうちに 食べておかないと
これも
これも
賞味期限が きちゃって もったいないワ

月曜断食

誰でもできそうなネーミングの効果大！
「これだけ」ダイエットは長く続けられる。

万年ダイエッターの私がいちばんギアを上げたのが『月曜断食』。なにせ8か月で11kg減って、えへん、すごいでしょ？

コトの発端は、週末に年下の友人と行った栃木県の早乙女《そうとめ》温泉。その温泉の泉質が身体の芯にヒットしたのね。温泉から出て休憩所で寝て、電車の中で寝て、家に帰ってからも寝た、寝た、10時間。

この間に私の体に何かが起きたんだよね。朝、カフェオレを飲んだら午後になってもお腹が空かないの。で、ふらりと近所の書店に行って、そこで目に飛び込んできたのが『月曜断食「究極の健康法」でみるみる痩せる！』（関口賢著・文芸春秋刊）。奇しくもその日は月曜日の午後1時過ぎで、私は朝から固形物を食べていない。「これだ！」と叫びそうになったね。

本の内容をかいつまんで言うと基本的なメニューは、月曜日は断食で口にしていいのは水だけ（毎日1・5～2リットル飲む）。火～金曜日はゆるめの糖質オフで、土日は好きなものを食べてよし。で、いちばんきついのは、初日の断食で、2週目、3週目になると、体が慣れて平気になるとも。

　ほんとにやってみると、いうほど大変でもないのよね。2度、3度と繰り返すうち、身体ってほんとに不思議。そうか、今日は絶食なのねって、私じゃない。私の身体が納得するのよ。

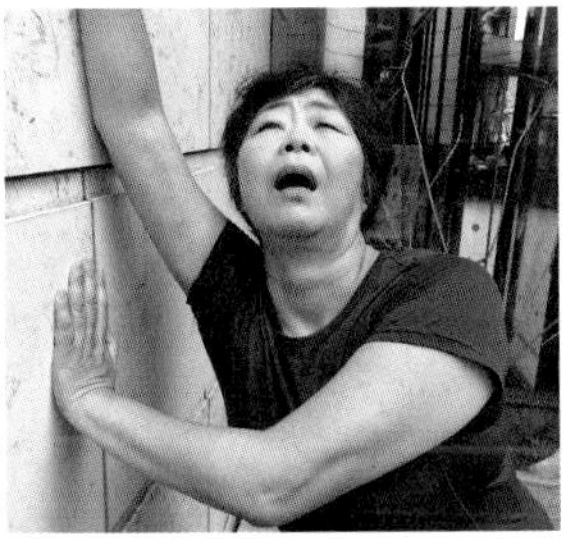

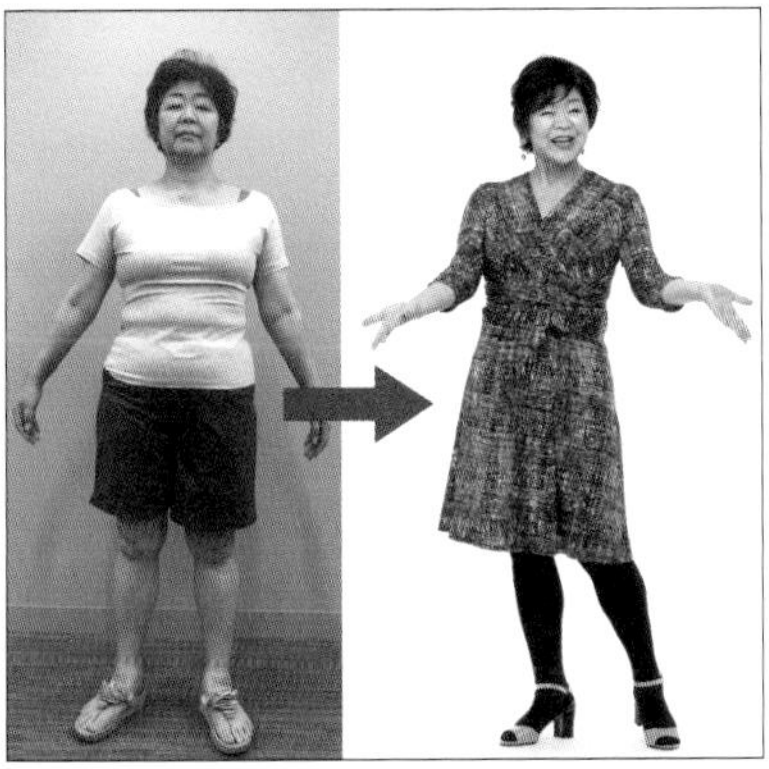

それでダイエットの極意というか、カラクリがちょっとわかった気がするんだわ。たとえばいつもご飯を2膳食べると、〝ご飯2膳枠〟が体の中にできて、次回も、その次もその分量をご飯で埋めたくなるの。かつて私は、〝アイスクリームのピノ一気食い枠〟とか、〝かつ丼枠〟〝立ち食いのかき揚げそば枠〟というのもあったっけ。

そういう〝枠〟を、1日1・5〜2リットルの水を飲んで埋め、ひと思いにリセットするのが断食、というのが実感ね。あれほど私を惑わせていた炊き立てのご飯だって、断食をしたら食べなくても別にいいかなぁになったのは自分でもびっくりだったね。

びっくりといえば、親しい人から「ねぇ、どっか悪いの？ 私らの年で急にやせたら、とりあえず病院に行って検査したほうがいいよ」と言われ出したこと。だからというわけではないけれど、結局9か月目は断食をしなかった。

人に言われるまでもなく、エレベーターの鏡に映る自分の顔から目を背ける日も多くてね。特に両目の下にハの字シワがくっきり刻まれたりすると、「トシ」という二文字がズシリと胸に響いて、気分悪いったらありゃしない。

そんな思いはすぐに食欲に反映されて、今では顔もパンパン。身体もパンパンとなりましたとさ。

今日は断食デー
今ゴハンに誘われたら断る自信ないわ!!
私をゴハンに誘わないでネ
ぐ〜〜
断食して胃腸をリセットですよ!
は…はらへった
ごはん〜
水飲んでしのぐのよ!!
ぐ〜〜
サッ
水は1日に1.5〜2リットルよ!!
寝てやり過ごす
人は寝ている間にやせる!!
ぐ〜
ササッ
おなかの鳴る音
ひさびさにへこんだおなか見たわ〜
イイネ

人間ドック

管理栄養士さんに「私ってどうしてやせられないんですか？」と聞くと「身体に魔物がすんでいるからです」で、意気投合！

カンレキ記念に生まれて初めての人間ドックに大枚を叩いた。で、私の最大の関心事は肥満。血圧、コレステロール値など健康に直結する数値の上げ下げと体重の上下は連動していると、これまでかかった医者からくどいほど聞かされている。なら、どうしたらやせられるかを専門家から聞き出し、輝かしい60代をおくろうというわけ。

国立国際医療研究センターの管理栄養士の先生は言うには、私の場合、内臓脂肪がついて肥満なのではなく、女性に多い皮下脂肪型の肥満なんだって。太ももやお尻など下半身デブになるのが特徴で、一度ついてしまうと落ちにくいそう。で、私の努力目標体重は、〝肥満体重の入口〟でも10kg減に設定した。

「野菜中心の食事に軽い運動をしたら2か月で3〜4kgはやせられますが、問題はその先。体が異変をキャッチして、必ず前の体重を維持しようとします」

おかしな話だ。私が体重を落とそうと努力すると、身体が勝手に反発するって？

体が私の持ち物だったら、どうして持ち主の意思に反することをする?

それを先生に訴えると、「たしかに前々から感じていましたが、身体には何か、自分じゃない〝魔物〟が住んでいますよね」だって。「その〝魔物〟を制したものが、体重を制す」だそう。あ〜あ、60代の身体の中の魔物退治か。大変だ、こりゃ。

高血圧 高血糖
悪玉コレステロール
BMI…
10キロやせましょう
健康診断の直後はがんばるんだけどさ
塩分 糖質
カロリー
ひかえて
体を動かす
うっかり おやじメシ
かつ丼大盛り
お昼にラーメン
ズズー
ぷはー
あしたからダイエットがんばる!!
すぐ気がゆるんじゃって
いかんいかん

血圧計測

高血圧にはタマネギが効くの、納豆がいいのとその場しのぎで、「190／102」になった！

女友達と駅で待ち合わせたときのこと。私は友達のいう「進行方向、いちばん前の改札」を「降りたホームの目の前の改札」と勘違いをした。何通かメールのやりとりをして自分のミスに気づいた時は、ショックで涙が出そうだったわ。友達が言うの。「年をとると正確さより、自分が楽な情報に書きかえて信じ込む」って。

思い当たることがある。冬のある日、歯科医の待合室に腕に巻く血圧計が置いてあったんで、ヒマつぶしにやってみたら、いきなり「165／88」。若い歯科医は、「今日は寒いですからねえ。寒い中を歩いてくると、血圧は上がります」と慰めてくれたものの、次の診察の日もその次も、「155／82」の前後。

それで病院に行って、降圧剤をのみ始めたというならわかるが、タマネギが効くの、納豆がいいのとその場しのぎの言葉にすがったの。

やっと病院に行ったのは、朝、目が覚めたときに心臓が大きく波打って、それが止まらなくなってから、3年前のことだ。そしてしばらくは月に2度、最寄りの病院に通って降圧剤をのんでいたのに、引っ越しだのなんだのとバタバタしているうちに、明日こそ、明日こそで、あっという間に1年半。そしたらまた心臓の存在が大きくなりだしたんで、血圧計に腕を突っ込んだら、「190／102」だって。これがどんな数字か、私でもわかる。

今はマジメに医師から処方された降圧剤を欠かさず飲んでいるけど、ここまで何回、危ない目にあったのかと思うとゾッとする。

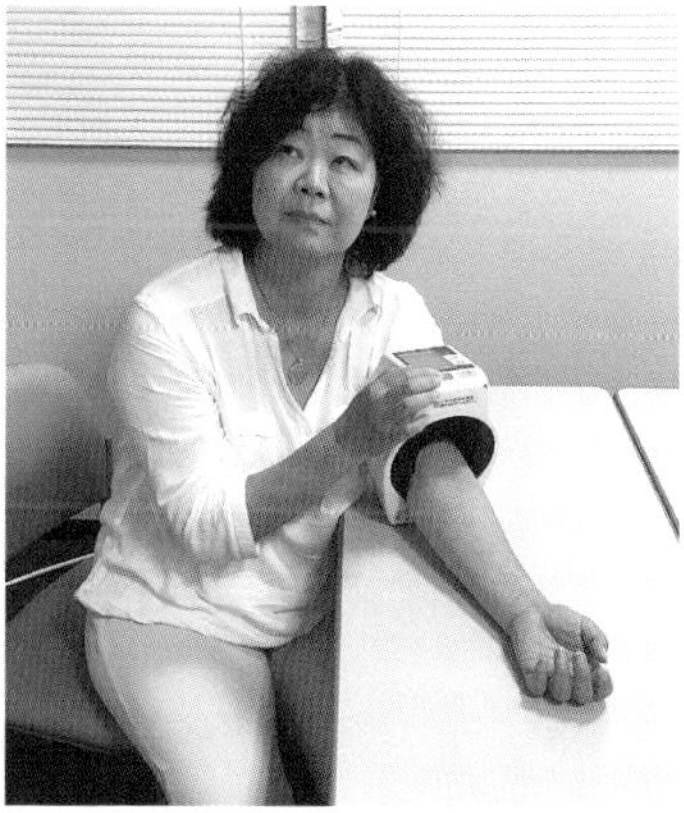

ダイエット研究会「言いたい放題」

今回のメンバー

オバ記者（60代前半。以下オ、）、編集A（60歳。以下A）、
編集B（50代前半。以下B）、漫画家C（50代後半。以下C）

ある会議室

オ「あら、Aちゃん、少し太った？いや、いや…」

A「いきなり言うわね～。このごろ、のんびり家にいたらやせてきたのよ。宴会控えてるからかな？」

オ「控えてる？つまりお呼びがかかんないってことね。（笑）歳とると、そうなるよ。じゃあ、今日はむくみだな」

B「でも、Aさん毎朝ウォーキング始めたんでしょ？」

A「そうなの。ジムが嫌いで、美味しいものが大好きだと、どうしても何かやっとかないと、って気になって…。オバが勧めてくれたバカ高いシューズ買ったら、飾っておくだけじゃ、まずいかな？って思って。歩いてみたら意外と楽しくって。もう3か月毎日歩いてるよ」

C「きっかけっていろいろありますよね」

オ「Cは小柄だし、太らない体質なんでしょ？」

C「イヤイヤ、お腹とか、お尻とか、気になるところはいっぱい」

オ、A、B「いやみか！」

オ「しかし、60過ぎると、ちょっとやそっとじゃ、やせないよ〜」

B「50過ぎてもですよ」

C「オバ40歳すぎたときにも言ってたよ」

A「いくつになっても、やせない（笑）」

オ「だけど、Aちゃん、やせっときはやせてるよ。お〜、っと遠目で観察してんだ。人にやせたね〜なんていうの悔しいからさ」

B「なんか、人がやせたの見ると腹立ちますよね？」

オ、A、C「うん」

オ「わたしなんか、企画でもダイエットするけど、全然といっていいくらい落ちなくなったぁ」

C「それは、体重？それとも、お肉？」

オ「どっちも…」

A「この歳になると、体重なんてどうでもいいよね(笑)。見た目、見た目。

だいたいが、私なんて筋肉質なんだから、体重なんて落ちないのよ。締まって見えるか、姿勢も大事よね。背筋が伸びてると、全然ちがうもの」

オ「そうそう、ウォーキング教室も、高い金払って通ったねぇ。終わった途端に仕事忙しくって、猫背に逆戻り……」

とにかくまずはなんでも試す

オ「だけど、Aちゃんもいろいろやったよね？ダイエット」

A「やせる、という言葉を聞くとやらずにはいられないの」

オ「最高何キロやせた？」

A「45歳の時、17kgくらいかな？3か月で」

オ、B、C「えー。小学一年生一人分！」

A「1年で完璧なリバウンドしたけどね」

B「離婚も重なってましたか？」

A「そうそう、いい女になって、見返す！っていう、ドラマ的発想」

B「でも、どうやって？やせたの」

A「完璧に断食、水だけ。はやく寝ること」

オ「えっ。ひと一倍食い意地の張ったあんたが断食?」
A「そう。一応指導者についてね。っていうか、鍼で空腹中枢を刺激しないようにもして、水だけで3か月。74kgから57kgまで減った。ちょっとフラフラしたけど、やせることに快感を覚えてしまって、「食べるのは罪」って思ってしまったのよ」
オ「その頃、肌なんか土色してたんじゃない?」
一同笑い
オ「しかし、いろいろやったよね、この好奇心、ホント恨むよ。なんでもやりたくなるっていう」
C「私もなんですよ。流行り物に弱くって」
B「でも、海外で、胃を切除して…、なんていうのは無理」
A「元スタイリストの友人が身長150cmで88kgになって、なにやってもやせなくて、医者で、胃を三分の一切ったよ」
オ、B「ちょっと怖いね」
A「本人は喜んでたけど、やせたら乳がんがみつかったの。やせて、自分で触診ができるようになったからだって」
B「まじですか?」

ダイエットは
キレイのためと
いうより
健康のため

ストレス
たまると
食べまくり

健康的に、自然にやせるのが理想だけど

オ「確かに、歳とってやせにくくなるけど、あまり急にガリガリになってもねぇ」

A「私はボン、キュ、ボン、が理想だなぁ」

B「でも、そのキュができないんですよ。ウエストしばらく見てないなぁ」

オ「内臓脂肪とかいらないよねぇ」

C「今の子たちはなんか胸とか、ヒップとかすごいボ〜ンですよね。ウエストは個人差があるみたいだけど…」

A「食べ物が完全に欧米化してるから、ものすごく不健康な感じで太っている子も多いよね？」

オ「ストレスと関係してくるからね。きっと、いろんなことで食に走ってしまうんだね」

A「私も受験のとき、ストレスで15kgくらい太った。入学したら、恋してすぐにやせたけど」

オ「精神的なものは大きいよ。私は逆で、恋とか、仕事とかうまくいってると太る。安心なんだよね。きっと」

C「ヒトはヒト！自分は自分……！」
A「健康的に長生きしなくちゃね」
B「これから来そうなダイエットってなんでしょうね？」
オ「また、挑戦する？」
A、B、C「で、やせるの？」

オバ流ダイエットの極意

総論

オバは、40年以上のダイエット経験の中で、自分分析をしてダイエットと結びつけるのが大好きです。

まず、仕事するようになって、「月末になるとやせる！」という傾向があるといいます。

これは、どうも「お金」と関係があるらしいのです。要はその月の収入が多くても、少なくても、「月マタギのお金は持たない主義」なので、月末になると、フトコロが寒くなり、食べ物を買うことすらやめてしまう、なんていう非常に不健康にやせ

てしまっていたというわけです。

そして、「男関係が盛んになると、安心して太るんだよね」とも言います。う〜ん、本当は、恋をするとやせる…っていうんですけどね。

そんなオバのダイエットはいつも「短期集中」。長くても半年！　短いときは3日で飽きてしまうのです。「まじめにやれば、10㎏くらいすぐやせるよ！」。って、それは若いころの話です。実際、ダイエットの効果かどうかはわかりませんが、
21歳の時にウエストが58㎝だったと、本人は言います。体重よりも、ウエストやヒップ、二の腕などのサイズを減らすことが、ダイエットの励みになるそうです。

「ウエストのサイズを3㎝絞るだけで自分の体感が変わるから、体重がどうのこうのよりもまず身体のサイズを記録していくのが成功への近道だと思うけどね。でも、私はし・な・い」どこまでもマイペースなオバなのです。

ドローイン いつでもどこでもOK

道具もお金も場所もいりませんと言うけれど記憶力のない人はむかない？

ただの呼吸じゃない。背筋を伸ばして立ち、これ以ムリというところまで息を吸ったら、ゆっくり吸った息を吐ききる。お腹が最大限、薄くなるまで凹ませたまま呼吸したら30秒キープ。これを5回で1セットがドローインって言うんだけど、やってごらん。身体中の力を使うし、これなら推奨者のいうようにインナーマッスルを鍛えるだろうなと納得するよ。

これを横断歩道の信号待ちや、エレベーターを待っている時にやれば、代謝がアップして下腹を引き締め、ぽっこりお腹が変わって「やせたね」と言われるように……なりませんでした。

隙間時間ダイエットって、ひとつのことをいつも頭のすみで意識していられる人でないとムリなのよ。それができる人は、そもそも太っていませんって。

息を吸って～
おなかをへこませ～
すううう
ドローイン☆
ゆっくり吐きながら～
さらにおなかをへこませ
ドローーイン！
いつでもどこでも
座ってても
すう～ は～
寝てても
すうう はー
電車でも
すう～
は～
ドローーイン!!
おなかぺたんこ
ドローイン!!!
気を抜いちゃダメですよ☆
はっ
ポコン

空腹で買い物に行かない

おなかがすいている時の買いものにはご用心!!
どれもおいしそうなのよ
パン屋さんで爆買い☆
もり
もり
※パンです

スーパーマーケットで買い物をするときの〝スーパー人格〟は2つあって、お財布にゆとりがあって空腹じゃないときは、ちゃあーんと理性が効きすぎるほど効いている。豆腐、油揚げ、納豆にこんにゃく。お肉は鶏のささみで豚ならヒレ肉。葉物野菜とごぼうと大根。家に帰ってから今夜、何食べるつもりかと呆然としたりする。

だけどお腹ペコペコに金欠が加わると安くて高カロリーのお惣菜に、豚バラ、豚コマ、脂多めがカゴの中で山盛りになる。もっともヤバいのはパンコーナーで、半値品があろうものなら、あれもこれも。

で、ネットサーフィンをしながら「もったいない」と全部お腹の中に収まってしまうのでした。

憧れの目標を決める

目標は紙に書いて貼っておこう!!
目標 65キロ
10キロやせる
目につくところに貼る!!
冷蔵庫
冷蔵庫あけるたびやせなきゃ・ってネ
だんだん見慣れて景色の一部に…
そういえばこんなん貼ってたワ
紙に書いただけじゃやせませんよ
そのことをお忘れなく

60代になると、30代、40代のスタイルのいい人を見ても、「すごいね〜」だけ。別世界だもん。だけど、くびれたウエストとか、Tシャツの後姿がきれいな同世代や年上の人からは離れちゃダメ。「密かに努力目標にしている人がいると、毎日スクワット30回しているくらい効果がある」と私は思っている。

人と比べない

耳ツボで8キロやせたの
ひとのやせた話を聞くと
急にやせるとあちこちたるむよ!?
へー
スゴイね8キロ!!
ジェラシー
モヤッ
シットでもやもやして来たら…
うらやましいわ!シットしちゃうわ!!
まーそんな時もあったけどさ
ねたみ?そねみ??
今は全然
声に出すとどうでもよくなるヨ
※お試しください
ひとはひと
自分は自分
ぼりん
ぱりん
ま、ひとはひとだわね!!
もぐ

ひとくちに5kg減と言っても、骨太と骨細では天と地。「やせてもきれいになる」というけれど、ただフケただけで、これなら太っていたほうがずっといいという人がいるから、数値は意味がないのよね。

人は人。自分は自分。身体は他人と共有できない私だけのものだから愛おしいのよ。

繰り返すことも大切

コツコツ
カカトの上げ下げ
日常生活で小さなダイエットを積み重ねる!!
この繰り返し
マメマメ
こまめに片付け、掃除
ササッ
サッサッ
歩く
ダイエットの妨げになるものは
買わない
家に持ち込まない
チューハイは1本ずつ買う
生活をスリムに!!
野菜から食べる
腹八分
ごちそうさま
カンタンにラクにやせる道はないのだ
これができてりゃ
ハハハ
とっくにやせてるよ!!

ダイエットには、やせる時と太らない時があって、そのふたつがいい感じに組み合わさると結果的に美しい体型になるのよね。で、日々の小さな努力は太らないためにすることなのに体重が減らないと焦りばかりが募る。

　ダイエットの道は長く険しい道を行くがごとし、だね。

ダイエットとは

私が初めてダイエットに成功したのは、高校2年、17歳の時で10日で10kgやせた。母親とケンカをして「お前になんか食わせる飯はねぇ」と言われたので、「ああ、いいよ」で、とにかく食べずに64kgが54kgになったの。

その次の成功は、上京して数年たって、グダグダと付き合っていた彼氏を女友だちに取られたとき。この時もあっという間に51kg。その後も何やかにややせたことがあったけどまあ、気が立っているときで、ろくなときじゃないのよ。

20代、大失恋してやせる
もう何も のどを通らない…
失恋は時間がクスリよ
30代 ワンオペ育児でやせる（やつれる）
なんで泣くの〜
ギャオン
ギャオン
夫はアテにしないのが一番
期待するとよけいに疲れるからネ
んだな
リコン
職場のパワハラ
乳がん
親の介護
でやせる
ひさしぶり
同級生
げっそり
大丈夫!?
40過ぎて急にやせると心配なこともあるのよね
ダイエットしなきゃって思えるのは幸せなことかもねぇ
人生のいろいろでやせちゃうこともあるからねー
ストレスで太ることもありますけどね
もぐもぐ

だけどここに出てくる失敗ダイエットは平時の時の悪あがきだから、まったく心穏やか。こうして振り返るとずいぶん、いろんなダイエット法を試してきたけれど、私の身体は私の思い通りになんか動かないし、別の生命体に身体を乗っ取られたんじゃないかと毎回思うんだわ。

だからお遍路さんじゃないけど、同行二人。ダイエットをしているとなぜか寂しくないのは、もうひとりの自分と歩いているからかもね。

この本はニュースサイト「DIETポストセブン」で2015年から2021年5月まで連載していたものを大幅に書き換えたものです。
またイラストは有田リリコ発のインスタグラム@Diet.__.mangaに掲載されたものを加筆したものです。効果には、個人差があります。

で、やせたの？
まんがでもわかる人生ダイエット図鑑

2021年10月26日　初版第1刷発行

著　者　野原広子　有田リリコ
©Hiroko Nohara 2021　©Ririco Arita 2021

発行人　鳥光　裕

発行所　株式会社　小学館
〒101-8001
東京都千代田区一ツ橋2-3-1

編　集　03-3230-5515
販　売　03-5281-3555

印刷所　凸版印刷株式会社

製本所　株式会社　若林製本工場

ブックデザイン　三辻陽子
編集　小野綾子
編集協力　原田実可子
撮影協力　浅野剛、平野哲郎
販売　齋藤穂乃香
宣伝　阿部慶輔
制作　宮川紀穂

Printed in Japan
ISBN978-4-09-388840-0

息を吸って
おなかを凹ませ〜
吐きながら
もっと凹ませ〜